# 宣教
# 心视野

第 3 冊
## 文化
## 视野

温　德
贺思德 —— 编著

# PERSPECTIVES
## 圣经视野・文化视野・策略视野・历史视野
### ON THE WORLD CHRISTIAN MOVEMENT

# 天国志愿军
## 第一版序

　　神在我们的时代正兴起一支全新的天国志愿军！世界各大洲都涌现出"胸怀普世宣教的基督徒"——就是一群有普世眼光的新一代男男女女，决心过一种"离开埃及·进到迦南"属灵新领地般的生活方式，委身于使万民作主耶稣基督门徒的使命。

　　最近在韩国举行的一次大会，有十万名年轻人决意花一年的时间，到海外去播撒福音的种子！在欧洲定期举行的宣教大会同样吸引了数千名有心参与宣教的年轻人。在北美，尔班拿宣道大会（Urbana Convention）、学园传道会、基督教导航会、校园学生基督徒团契、青年使命团以及其他许多组织和宗派举办的培训，都成为这宣教浪潮的一分子。就像巨鹰盘旋在鸟巢之上搅动幼鹰一样，神也如此向祂的子民展开双翅，激励他们将永恒的福音带到万邦。

　　在惠顿学院葛培理中心的落成典礼上，惠顿学院的学生会主席向在场的听众发出感人的呼召，激励大家成为"胸怀普世宣教的基督徒"，献身于寻找失丧的人，喂饱灵里饥饿的族群。有一些学校的基督徒学生小组，也热心于传福音和宣教，其数量似乎将超过一些基督徒学校！我的儿子和女儿所在的那间大学就是一例；因着基督徒热心传福音，不到十年，基督徒小组从原来的七个增长到七百个，很多学生都渴望自己的生活不只停留在追求世上的成功。

　　或许，一波可与二十世纪初学生志愿宣教运动相媲美的福音浪潮即将兴起！若是如此，《宣教心视野》将成为重要的工具书。本书集结了当今与宣教相关的文章，出类拔萃、无出其右。编者由宣教元老温德博士与宣教动员大将贺思德领军，在编辑工作上互相配搭，可以说不是经验丰富的宣教前辈、就是充满异象的年轻人，实为团队事奉的表率。

　　我推荐这套书，因为它正确地将普世福音化的使命摆在第一顺序，这正摸着了神的心意，因为按照圣经启示，祂是宣教的上帝；而这理当列为我们身为宣教子民最重要、最优先的工作。

　　此外，本书肯定了普世福音化的可能性。我们不需要因错误的罪疚感而产生不符圣经的基督教悲观主义，也没有必要为假基督所恫吓，失去"荣耀的异象"。耶稣曾说："这天国的福音要传遍天下，向万民作见证，然后结局才来到。"（太24:14）本书态度不卑不亢，亦不刻意辩护，认定耶稣所说的必定成就，并且要我们参与其中。

　　正如书名所示，本书为普世宣教提供知识性的观点。今日有志宣教者首先需要清楚圣经的使命，然后需要了解历史、文化和策略。了解宣教历史和跨文化事奉的挑战，一

方面可以帮助我们排除恐惧，另一方面还可以避免犯不必要的错误。上个世纪四〇年代末，葛培理所任教的大学有这样一个口号："追求知识·如火热情"（"Knowledge on Fire"），这也正是本书的信念，我们相信宣教士蒙召不仅要**思考**，还要**去爱**、**去付出**和**传讲信仰**！另外如约翰·卫斯理曾对一个轻看自己学识的批评者说："神可能不需要我的学问，但祂绝不需要你的无知。"

此外，《宣教心视野》可以帮助有渴慕心志的门徒从热情、能力和参与三方面透视普世福音化的重任。先要有热情，才有事工，传福音尤其如此。宣教大业的关键始终可以总结为这样一句话："耶稣是无价至宝。"只有当一批批视耶稣为珍宝、又被圣灵的无限应许紧紧吸引的宣教者汇为巨流时，才能真正地为主作见证"直到地极"。

神只有一位独生爱子，却使祂成为宣教士。我祈求天父使用这本书，从每一个族群中兴起祂的儿女来，装备他们，带领他们进入自己的族群，直到神的名传遍万邦，万民都齐来颂赞神的圣名。

莱顿·福特
Leighton Ford
前洛桑普世宣教委员会主席
1981年十月于北卡罗莱纳州

# 整全的福音
## 第四版序

"全教会把整全的福音带到全世界"（"The whole Church taking the whole gospel to the whole world"）是洛桑运动提出的异象，但全世界福音化更是宣教的神和祂的子民心中挂念的大事。每一个时代都需要思考一个问题，即我们如何可以更加有效地向万民宣讲福音的真理。

虽然福音的信息永不改变，但从初代教会到今天，世界变得越来越复杂多端。随着交通工具的革新、移民的大量流动、大众传媒的持续演变以及通讯方式的不断进步，我们的生活中充斥着各自不相称的信息和思想。要在这样言论无限鸣放的世界中更好地传扬福音真理，始终是教会面临的挑战。另外，我们也必须重视南半球国家对当今世界的卓越贡献；今天，我们的确生活在一个全球化的世界里。每一天，这些国家在地缘政治、经济、金融、教育、体育以及时尚等方面都没有自绝于外，而是对整个世界产生影响。

要以福音有效影响这个复杂世界，合作和伙伴关系显得非常重要，我们必须充分又具体而微地了解圣经的使命、宣教历史以及跨文化交流的挑战。为此，本书的修订版对于普世教会来说是一个重要的工具，较之旧版，我们可以从本书中听到更多来自年轻领袖、女性和南半球国家的声音。此外，我们还可以了解到当前跨文化参与者，对普世福音化面临的挑战带来的新思想和新启发。

历史告诉我们，就算充满活力的福音运动，若是忽略从芸芸大众中培养新的、年轻的领袖，最终必然销声匿迹。每一次的复兴浪潮都需要有经验的前辈、当前委身事工的同工，以及拥有领导力、热情、活力和充满希望的新生代共同参与。我们希望把过去的智慧、现在的力量以及将来的盼望和热情都汇聚起来。

普世教会必须致力于一个新的平衡，就是让基督的全体教会能够发挥创意、全面整体、能量十足地传扬福音。基督教的重心已经大规模地由西方国家转移到非西方国家，从上一代转移到年轻的一代；但在资源、影响力以及伙伴合作的关系上仍旧相当失衡不均。有鉴于此，我们必须致力于寻找新的平衡，让普世教会能够在共同的呼召、异象、需要、资源以及互敬的基础上相互配合。

的确，我们全教会要将整全的福音带到全世界！

道格拉斯·伯索尔
S. Douglas Birdsall
洛桑世界福音委员会主席
2009 年一月于麻萨诸塞州

# 华人的瑰宝
## 中文版序

　　《宣教心视野》一书能顺利翻译出版，实在是天父上帝赐给华人教会的一份礼物。从 1974 年作为宣教学习课程，1976 年扩充为文献读本第一次出版，到 2009 年第四版；四十年来，这本书对全球宣教浪潮的影响，无论是动员教会关心宣教、鼓励信徒参与、训练准宣教士，可以说是无出其右。而今能以中文译本分享给全球华人读者，我们相信是神要兴起华人与普世教会同担普世宣教使命的契机。

　　中文版是以英文 *Perspectives on the World Christian Movement* 2009 年第四版全书为翻译的基础，所用经文采用环球圣经公会出版的新译本，特此致谢。这部巨著，英文版长达千页，中文版依原版四个部分，分四册出版，方便读者使用，即：第一册"圣经视野"、第二册"历史视野"、第三册"文化视野"、第四册"策略视野"；重现这套最全面、最经典、最悠久的宣教文献。

　　翻译的过程中有赖众肢体的鼓励和支持，包括海内外教牧同工多方面的肯定，主内弟兄姐妹牺牲的奉献，译者和编辑不辞劳苦，在各种压力下全力摆上；可以说是两岸三地众同工携手合作的成果，也是教会之间合作的美好见证。

　　我们深切期盼本书能令华人教会在普世宣教上，在新的时代再度向前迈进，激起另一波浪潮。愿荣耀归于父神！

宣教心视野研习课程中文编译团队
2015 年三月

# 目 录

## Part 1 文化初探

## Part 2 文化与沟通

9

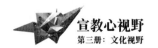

## Part 3 文化认同

第11课

## Part 4 福音与文化更新

# 本书简介

这样一本书的出版，很少见，是吧？怎么来的，且听我一一道来。

首先，看看你手上的这本书，够厚吧？你要花多少时间来挖掘其中的智慧呢？我们大家几乎每时每刻都感到心烦意乱：越来越多的人给我们压力，能得到的新鲜空气却越来越少，个人空间也变小了，却还要求我们去获得更多的知识！比起以往任何时代，我们现在的年轻人出门旅行的次数最多，人们好像在这一个波涛汹涌的世界里拍浪行舟。

自从1981年本书第一版出版以来，各样变化实在太多了！

● 当时接下编辑重任，我们感到承接的任务太大，而现在好像走过千重山，惊觉任务相对小得多了！

● 再说，当时能够参与的同工主要来自西方，但现在来自非洲、拉丁美洲和亚洲的同工越来越多。

● 更没想到，从那时至今，愿意认真阅读圣经的信徒人数几乎翻了三倍，今天更是以"难以抑制"的速度迅速增长，令人瞠目结舌。

让我们停下来思考一个问题，人类究竟是什么？除了人类以外，没有任何其他生物会认真地探究且知晓肉眼看不见的东西，例如银河星团和原子。然而，在浩瀚神秘的宇宙里，无论我们设想测度银河系还是线粒体，我们都像是一个无知的孩子。我们对现实中的大多数情况仍然未加觉察，就像丝毫没有注意到每一个枕头里无数被称为尘螨的小蜘蛛一样。是啊，我们可以放弃，如动物一般只要存活，就像奶牛，只在视力范围内吃草；我们也可以撇开眼前的现实。但对于喜欢本书的人来说，这个世界呈现给我们的是和过去的时代完全一样的问题。若说现在有什么不同之处，那就是问题更大——战争规模更大、细菌抵抗力更强、城市膨胀更大、邪恶和危险更猖狂，还有在前所未有、却又无法预见之间摇摆的经济效益问题等等。

恕我啰嗦，我们言归正传吧！或许你有以下一些紧迫的问题要问：

● **关于本书。**本书现为第四版，与之前有什么不同呢？

● **课程学习。**如何才能让本书的见解最有效地丰富你的生命？

● **衍生课程。**本课程如何推动其他课程，并多多地向全世界传播？

● **宣教视野。**这个对于世界的观点有何不同寻常之处？

● **使命紧迫。**为何这一切如此迫切和重要？

## 关于本书

本书共有一百卅六章和廿六篇附文，其中大约有25%的篇幅是从第三版新增的，或经过大量修订。如果说1981年的第一版像一束玫瑰花蕾，那么这一版就是盛开的玫瑰花，且添了更多的花蕾。本书由贺思德先生所召集的一个聪慧勤勉的团队编辑而成。

本书有一百五十多位作者，他们先后在世界各地活跃事奉（这些作者服事的时间合起来大约有五千年）。一个人是不可能去过他们所到过的所有地方，也无法经历到他们经历过的所有事情；然而，任何人若是熟读此书，就可以因着本书广纳了这些作者的非凡睿智，而避免弯路和死路，也无需耗时耗力才能寻找准确的宣教视野。

许多前辈在回顾从前走过的弯路时，十分后悔当初没有早点做出深入的反省。你想避免这样的悲剧重演吗？希望本书对你有帮助吗？那就仔细品读这本《宣教心视野》，囫囵吞枣或把书束之高阁就一点益处也没有。

## 课程学习

单凭一己之力真的不容易消化书中丰富的内容，最好和其他人一起学习，不仅更有意思，而且听听他人的想法，讲讲自己的心得，你就能学到更多。

在北美，有四百六十多位课程负责人协调"宣教心视野"课程的学习，开办总共十五节课的研习班，每周都有不同的"讲师"现场授课。这样的研习班越来越多，单在2008年就开了一百八十三个班。"宣教心视野"课程也举行一到三周的密集式研习班（详情请见www.perspectives.org）。

然而这只是冰山一角。在美国，我们的研习班培养了八万多名毕业生。另外，本书还有十八万册用于其他场合，有一百多所基督教大学和神学院使用本书作教材。

无论你所在之处是否开设这一课程，我们都建议你每周有规律地花一定时间来学习。如果愿意，你还可以取得大学本科或研究生学分，即便你以自学的方式学习教材，也同样可以取得学分，如果你属于第二种情况，请来信告诉我们。许许多多无法到现场参加每周一次的正式课程的学生，都以函授或上网的方式学习。

我们非常鼓励将"宣教心视野"课程的文献读本和研习课本配搭起来使用。研习课本共有十五课。研习课本的目的是为各种不同的学生，归纳和整合文献读本中的阅读材料。对于想自己开课的教师，我们建议以研习课本的内容为构架和资料（请登录www.perspectives.org联系"宣教心视野"研习课程〔Study Guide〕组，获取设计测验问题的指南）。除非和"宣教心视野"课程有合作关系，任何人不得擅自使用"宣教心视野"、"Perspectives"或"Perspectives on the Christian Movement"的名称或以该名义做相关宣传。

## 衍生课程

"宣教心视野" 研习课程的影响力超越其课程本身。这套课程已经衍生了许多相关课程。我们欣见其他人也找到参与并延伸这一推展宣教运动的合适方式，在这当中我们就是神在这一时代奇妙作为的目击者。以下几个例子代表了人们在受到 "宣教心视野" 课程影响后，为拓荒宣教扩展深入不同的受众和文化处境所做的努力。

# 约拿单·刘易士设计了一门稍短的课程，节选了原课程的部分阅读材料，自行制作成另一套研习手册。这门课程称为 "普世宣教"（英文版 World Mission，西班牙语版 *Mision Mundial*）。

# 菲律宾南部的宣教士在此基础上制作了 "普世宣教" 的精简版。几年后，该课程的名字改为 "把握时机"（Kairos），传播到至少廿五个亚洲、南太平洋以及欧洲国家。梅格·克罗斯曼也参考 "宣教心视野" 课程，设计了一门为期十三周的类似课程，现名为 "了解世界的路径"（Path Ways to Global Understanding）。

# 新西兰的鲍勃·霍尔编排了自己的读本，他所改编的研习手册在新西兰和澳大利亚均有使用。英文读本在英国、加拿大、印度、尼及利亚、阿联酋、南非以及印尼的大学生中广为使用。《宣教心视野》读本已有中文（根据英文第三版摘要编译的《普世宣教面面观》，大使命出版）、韩文、葡萄牙语的译本，诸如法语、西班牙语、阿拉伯语、匈牙利语以及印尼语等其他语言的译本正在筹划之中。

# 随后，我们的团队设计了一门名为 "普世异象"（Vision for the Nations）的成人主日学课程，该课程为期十三周，每课四十五分钟，使用视频和该课程的研习手册。另外一套精简版本叫 "NVision"，是为期一天的讲座，已在几个国家举办过，目的是为下一步学习完整版热身。"神对万邦的心意"（God's Heart for the Nations）则是一个归纳法查经课程。

像 "宣教心视野" 这类的课程不断地涌现，例如《走进伊斯兰世界》（*Encountering the World of Islam*），目前已有三种语言的译本。最近，一门为孩子制作的名为《赛场之外》（*Outside the Lines*）的多媒体课程已经出版。

这些以及其他资源都是这一课程带出波澜壮阔的宣教运动的涟漪。为了支持和推动这一连串课程能余波荡漾，各自发挥特长、课程有好评价、品质得到认可，我们开发了 "宣教心视野" 家族系列评量指数，希望各种课程的设计能与原初标准的 "宣教心视野" 课程的核心理念保持一致（详情请见 www.perspectivesfamily.org）。

并非所有的课程都是缩减版。六年来，我们团队的成员就专门致力于推行两门每学期卅二个课时的延伸课程。第一门是为大学一年级学生设计的，称作 "透视全球年"（Global Year of Insight，详情请见 www.uscwm.org/insight）。第二门课程更为进深扩大，是为取得硕士学位而设计的，我们将这一版本的教程称为 "胸怀普世宣教基础"（World

Christian Foundations）课程，但每一所学院或大学对此各有自己的名称。

这些延伸课程使用的教科书有一百二十本之多，可以构成一间很棒的基础图书资料馆呢！此外还有其他"文献读本"，其中包括取自其他书籍和期刊的一千多篇节选和文章。这些内容经过缜密的组织编排，安排成每次四个小时，总数为三百二十个学习时段的课程，专为业余和自学的学生打造，两年就可完成该课程。

该课程可以作为攻读博士学位的基础，不过它更可能作为重要的基督徒事工的平台，因为不仅融合了神学学位的内容，还包含了普世宣教更为细密的蓝图（欲了解详情，请登录我们的网站 www.worldchristianfoundations.org）。我们把所有这些课程称为"基础"教育，对每一个有心服事的基督徒来说十分重要。但对于专职事奉的人，如在工场宣教或后方推动宣教工作，则还需要有后续的"专职"训练。

作为资深编辑，由于大家对该课程的兴趣日益增加，此次版本我参与的时间就逐渐减少。这并不是什么新鲜事，其实第一版基本上也是由年轻的推动者编辑而成，他们本身就是该课程的硕果。这不只是一门课程，更是一场运动！

## 宣教视野

本书及研习课程的内容对绝大部分的学生来说会是一个冲击，原因何在？首先，书中充满了太多的乐观精神，而且都是可以得到证实的！

这一乐观看法的主要原因在于课程将大使命追溯至亚伯拉罕，并将人类历史作为单一的故事展开。虽然人们还未普遍认识到创世记十二章1-3节亚伯拉罕所领受的使命，与马太福音二十八章18-20节的大使命有相同的基本功用，但事实的确如此。谈到耶稣诞生前犹太人中相信神的人，两千年来对全球历史的影响，以及认为神从亚伯拉罕开始就已信实地彰显祂的心意，扩张祂的国度，这可能是对传统基督教观点的一大扭转。

同样，在这世上，今天绝大多数信徒甚少能以一脉相承的视角，来看待接下来的两千年。这从普世层面也是同一个故事吗？我们相信如此，只是不寻常。

不过，我们明白神的国度坚决抵御现今世代的黑暗，它并"不属这世界"；我们也不是要征服"所有族群"。神正在召唤一个全新的百姓、成为新造的人，归向祂；但我们不认为祂要废除那些独具民族特色的文化。所有的族群（即圣经中的"万民"）与神的恩典都必须同等距离，可以接近祂、领受生命之主的祝福，并在敬拜中彰显祂的荣耀。

当然，今天要非常详尽或全面地掌握普世宣教的发展几乎是不可能的，这是因为积极参与普世宣教事业的人数太少了吗？恐怕不是，目前可能有五十万基督徒，远离家乡和亲朋好友，全职全心地为大使命尽心竭力。还是因为这一天国事业太小，或是已经失败了呢？恐怕也不是。你能举出联合国的一个非洲或亚洲的国家，它进入联合国的原因与宣教没有显著关系吗？事实上，联合国本身的成立都与宣教运动所产生的关键人物有着你想不到的关系。或是因为宣教工作正在减弱，或是已经过时了呢？显然不是。今天美国的海外宣教力量比历史上任何时候都拥有更多的人力和财力，而且你很快就会看

到，天国事业并没有过时。最不可能的原因是，宣教这一运动太新了而没被纳入学习系统。恰恰相反，宣教，实际上是人类历史上最大、最持久不变的活动，当然也是最具影响力的活动！

那么，为什么你搜遍美国的所有图书馆，查遍学院和大学的目录，或是详查公立学校甚至是私立的基督教学校课程表，仍然无法找到一个专门讲述基督教普世宣教重任的性质、目的、成就、现状及待完成任务的课程呢？

## 使命紧迫

如前所述，自本书初版以来，发生了翻天覆地的变化。而其中最重要的转变发生于从1974年在瑞士洛桑举行的国际福音大会至上世纪末这段时期。洛桑会议参与的人数和代表的国家多过之前任何的人类聚集。本书五十四章〈新马其顿——普世宣教新纪元〉（中文版见第二册：历史视野）便是本人在全体大会中的发言。同年，我们意识到需要尽快开设"宣教心视野"的学习课程，因为在1973年十二月举行的尔班拿宣教大会上，出乎意料地有大约五千名学生复兴起来愿意面对全球宣教的挑战。同年夏天，我们在惠顿大学为这些学生开设了这门课程的前身，名为"国际研究夏季研讨会"。仅仅两年后，即1976年，我们出版了《普世宣教关键维度》（*Crucial Dimensions in World Evangelization*）这一读本。

但卅四年后的今天，全球完全出乎意料地、爆炸性的全新发展，一方面带来对事物更乐观的看法，另一方面也揭示了我们需要克服的新障碍。

例如，在非洲、印度和中国这些国家，或许，有一群耶稣的跟随者不称自己为"基督徒"，但真诚地阅读圣经。他们的人数甚至超过那些在同一国家中称自己为"基督徒"的群体。是的，这种基于圣经的信仰现在正"势如破竹"，可是同时蕴含着重大的意义以及危险。虽然圣经带给他们惊人的活力泉源，但是他们当中还是有不少仍然没有适当管道获得圣经。

欢迎加入这场涵蕴无穷、教人枕戈待旦，又迫在眉睫的探索！

温德
2008年十月于加州

# 主编简介

## 温德（Ralph D. Winter）(1924-2009)

作为多年宣教士、宣教学教授以及"宣教工程师"的温德，成就卓著。他坚信，基督徒组织只有以富有策略的方式合作才能事半功倍。他在加州理工学院取得土木工程学士学位，继而在哥伦比亚大学获得作为第二语言的英语教学硕士学位，后前往康乃尔大学攻读结构语言学博士学位，同时辅修文化人类学和数理统计学。他在普林斯顿神学院学习期间，曾在新泽西州一间乡村教会担任牧师。

在康乃尔大学攻读博士期间，他与萝勃塔·赫姆结为连理。自那时起，萝勃塔就以她在研究、写作及编辑等其他方面的恩赐，给予丈夫专业上的帮助，成为他极其宝贵的同工伙伴。

在1956年被按立为牧师后，温德与妻子加入长老会海外宣教差会。他们在危地马拉的土著玛雅人当中工作了十年。在为带职事奉的教牧学生发展小型企业的同时，温德联合其他人开创了一套无需住校的教牧神学教育方法，称为延伸神学教育，简称TEE。这一套神学教育方法已在世界上无数的宣教地区中广泛使用。

1966年，富勒神学院创办宣教学院，马盖文敦请温德任教。1966年至1976年间，温德在课堂内外从一千多名宣教士中学到许多宝贵经验。在这些年间，他创办了克里威廉图书馆，专门出版和提供宣教资料；协助成立美国宣教学协会，参与建立"教会宣教事工推广"网络，并启动了"宣教心视野"学习课程，即当时的国际研究夏季研讨会。后来，大卫·布莱恩、布鲁斯和克理斯蒂·格雷厄姆夫妇、杰伊和欧婕·加理夫妇，以及贺思德和芭芭拉夫妇等年轻同工加入了这个团队。

1974年，温德在瑞士洛桑的大会上，向世界福音大会递交了一份报告，强调超越现有宣教工作范围的拓荒宣教这一特殊需要。为了推进这一目标，他于1976年建立了美国普世宣教中心（U.S. Center for World Mission; www.uscwm.org），几个月后又创办了克里威廉国际大学（www.wciu.edu）。同工团队人数在过去的三十二年里不断增长，就是现在的"前线差传团契"（简称，FMF）的前身。从1976年到1990年，温德担任该中心的总干事，并于1976年至1997年担任克里威廉国际大学校长，后又担任前线差传团契的总干事。

2001年，夫人萝勃塔·温德经过与癌症的长期搏斗之后安息主怀。萝勃塔·温德研究所继承她的遗愿，加强福音派在神学上对魔鬼作为的关注，包括致命的微生物在内。温德有四个女儿，她们每个家庭都参与全时间宣教服事。

# 贺思德（Steven C. Hawthorne）

1976年，贺思德偷偷地溜进了校园学生基督徒团契三年一届的尔班拿宣教大会，只是为了听斯托得牧师的解经讲道。由于大会的门票已经售罄，他只好睡在宿舍的地板上，靠自动售货机里的食物填饱肚子，靠他人的奉献付清了报名费。斯托得的开幕词"宣教的神"（现为本书的第一章）彻底改变了他的生命。次日，他见到了温德。温德带领他认识到普世福音化深具战略性，而且使命必成。贺思德当天就立即报名参加一门函授课程，名叫"认识普世宣教"，其内容被编入后来的"宣教心视野"课程。

在富勒普世宣教学院攻读跨文化研究的硕士学位时，贺思德担任国际研究夏季研讨会的助教。1981年，他和美国普世宣教中心的其他同工一道与温德共同编辑了"宣教心视野"课程的文献读本。

二十世纪八〇年代早期，贺思德担任《大使命基督徒》杂志的执行主编。在这些年间，他酝酿并启动一项名叫"约书亚计划"（Joshua Project）的研究和推动事工。招募和训练几个团队之外，还与他们一起到亚洲和中东的世界级大城市，进行民族结构学的实地考察，识别出其中的未得之民。之后，又带领"迦勒计划"（Caleb Project），这是一项学生宣教动员事工。

贺思德现任"拓路者"（WayMakers）的总干事，这是一项宣教推动事工，专注于为世界的某些地区祷告，期待基督的荣耀在这些地区更大地彰显出来。贺思德帮助教会和差会提升在未得之民和美国许多城市中进行代祷、研究和植堂方面的能力。

他与葛理翰·坎德（Graham Kendrick）合著了《行军祷告：如何洞察现场》（*Prayer Walking: Praying On-Site with Insight*）一书，也编辑了一本广为使用的短宣服事手册《跨步：短宣指南》（*Stepping Out: A Guide to Short Term Missions*）。

贺思德和妻子芭芭拉现居德州奥斯丁，有三个女儿，分别是萨拉、艾蜜莉以及索菲娅。论到自己的写作和演讲，他如是说："我喜欢在人们内心点燃大火！"

# Part 1
# 文化初探

# 第63章　文化初探

劳埃德·瓦斯特 (Lloyd E. Kwast)

作者曾在西非喀麦隆一所大学和神学院校（属北美浸信会宣教总会North American Baptist General Missionary Society）教学八年，也曾任塔尔博特（Talbot）神学院宣教系主任，后在拜欧拉（Biola）大学跨文化研究学院担任教授，且担任宣教学博士班主任。

"文化究竟是什么？" 对于刚开始研习人类学的学生来说，初面对一堆令人捉摸不透的描述、定义、对比、模型和范式时，他们的第一反应往往就是这个问题。在英文中，也许没有任何词语比"文化"一词的语义更为宽泛；此外，恐怕也没有哪个领域的研究比文化人类学更为繁杂。然而，若是我们要向不同的族群有效地传递来自神的好消息，我们必须先透彻地理解文化的含义。

了解文化的第一个步骤就是精通自己的文化。每个人都有自己的文化，没有人能与自己的文化完全隔离！诚然，任何人都有可能欣赏多种不同的文化，甚至能在多种文化内有效地交流，但没有一个人能够完全超越自己的文化或者其他的文化，从而获得真正超文化的视角；可见，认识自身的文化也是一项艰难的任务。文化已然成为人固有的一部分，几乎不可能完全客观地审视它。

一种有助于我们审视文化的方法，就是把它看作为几个连续由外而内的"层次"或是理解层面，如此才能真正深入文化的核心。因而，把自己当作"火星来客"应对此有所帮助。你只需要想像自己是一个刚刚从火星搭乘太空船来到地球的外星人，并且以一个外来客的眼光观察所有人事物。

这个刚刚着陆的"火星人"首先注意到的是人们的**行为**，这是外星人所观察到的文化的外层，也是最浅显的一层。他会观察到什么活动？人们在做什么？当他一进教室，火星来客马上就观察到一些有趣的现象：人们从一个或多个入口进来，似乎很随意地散坐在房间的四处；然后又有一个人走进来，他的穿着与其他人非常不同，他快速地走到一个显然是事先安

**行为**
——做了什么？

排好的、面对着众人的位置，然后开始讲话。当外星人看到这一切的时候，他可能会问："为什么他们待在四堵高墙围成的空间里？为什么那个讲话的人穿着与众不同？为什么很多人都坐着，却有一个人是站着的呢？"

这些是有关文化**含义**的问题，是从对行为的观察而产生的。若是进一步询问现场的人，为何以某种特定的方式做这些事情，可能会很有意思：某些人可能这么解释，其他人可能那么解释，还有些人甚至只是耸耸肩说："在这里我们都这么做。"最后的这种说法反映了文化的一个重要功能，即提供了"行为的模式化"——正如一群宣教人类学家所定义的那样。你可以把文化叫作"强力胶"，它把人们牢固地黏合在一起，给予他们一种几乎牢不可破的身分认同感和群体延续意识。这种认同感，在做事的方式及行为上显露无遗。

这位外星来客通过观察地球人而逐渐意识到，这群人的多数行为显然受制于社群中人们所做的相似选择；这些选择必然反映了**文化价值观**的问题，即文化观的

下一个层面。这些问题往往涉及人们的选择，即什么是"好的"、什么是"有益的"或者什么是"最好的"。

如果火星来客继续询问这房间内的人，他可能发现那些人有多种选择来运用他们的时间。他们可以工作或者娱乐，而不是学习；而许多人选择学习，是因为他们相信与娱乐或工作相比，学习是更好的选择。他还发现了他们所做的其他许多选择，大多数人选择坐有四个小轮子的交通工具来到这里，因为他们认为这样很便利；此外，他还看到有些人在多数人到达之后才匆匆忙忙地赶来，会议结束后又迅即离开了。这些人说有效地利用时间对他们来说非常重要！

价值观是某个文化群体在常见问题上"预设"的决定，它有助于生活在这一文化当中的人们知道什么是"应该"（should）或"应当"（ought）做的，以便"适应"或者符合某种生活方式。

除了行为和价值观的问题之外，就文化的本质而言，我们面对着一个更为根本的问题。这就把我们带到一个有关文化

# 任何文化都以世界观为其核心部分，它关乎最为基本的问题："什么是真实？"

的更深的认识层面，即文化中的**信念**。这些信念告诉我们在这一文化当中人们认为"什么是正确的"。

任何文化中的价值观都不是人们能够随意选择的，而是人们潜在的信念体系的固有反映。比如说，在那个教室环境中，人们因为对人、人的推理能力和解决问题能力的看法，使得他们认为"教育"有着特殊的意义。在这种意义上，文化的定义就是"经学习或共享而得的认知方式"，或者是"共有的认知导引"。

有趣的是，我们的火星来客如果刨根问底，他可能会发现，这间教室里面的人虽然表现出相似的行为和价值观，却可能宣称自己秉持着完全不同的信念。再者，他可能会发现人们实际的价值观和行为有悖于他们的信念，而后者本应是其价值观和行为之源！这个问题的出现，在于身处文化当中的人实际持定的信念（影响价值观和行为的信念），和理论上认定的信念（对价值观和行为产生极少实际影响力的行为规条）混淆所导致。

任何文化都以**世界观**为其核心部分，它关乎最为基本的问题："什么是真实？"真实是文化这一核心层面最为关注的"终极"问题，虽然这些问题很少被提出来，但是文化对这些问题提供了最重要的答案。

在火星来客询问的那些人当中，几乎没有人认真思考过，在他们生命中，让他们决定入学的最深层的预设是什么。他们是谁？他们从哪里来？是否还有其他拥有真理的主体需要纳入考量之中？世界仅仅局限于他们的眼见之物吗？是否还有别的事物，或者更多层面的事物？"当下"就是唯一重要的吗？还是说过去和将来的事件对目前的经历也有着重要的影响？对于这些问题，每一种文化都设定了具体的答案，而那些答案支配并整合着文化的各种功能、各个层面和各个组成部分。

认识到世界观是每个文化的核心，就能明白许多人在信念层次上经历混乱的原因。世界观为人提供了相应的信念体系，该体系反映在他实际的价值观和行为中。有时候，人虽然接受了一个全新的或者与旧有体系相互矛盾的信念体系，但是这仍然没有触及他的世界观；结果他的世界观依然故我，因此我们就会看到这个人的价值观和行为所体现的仍是旧有的信念体系。有时候，人们在做跨文化的福音工作时，疏于考虑世界观的问题；他们所付出的努力最终没有带出真正的改变，他们也

价值观——什么是好的或最好的？
信念——什么是正确的？
世界观
什么是真实的
行为——做了什么？

为此感到灰心失意。

以上所探讨的文化模式太过简单，还不足以解释存在于每个文化里的多种复杂的元素和交互关系。然而，正因为该模式简单明白，所以我们推荐它作为每个学生探究文化时可以使用的基本框架。

**研习问题**

1. 文化的"层次"之间存在什么交互关系？
2. 作者提出的文化模式对于宣教有什么实际价值？

# 第64章　文化、世界观和处境化

柯瑞福 (Charles H. Kraft)

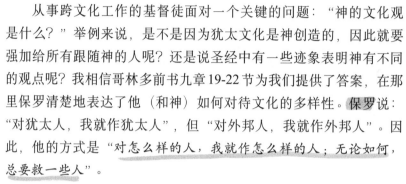

从事跨文化工作的基督徒面对一个关键的问题："神的文化观是什么？"举例来说，是不是因为犹太文化是神创造的，因此就要强加给所有跟随神的人呢？还是说圣经中有一些迹象表明神有不同的观点呢？我相信哥林多前书九章19-22节为我们提供了答案，在那里保罗清楚地表达了他（和神）如何对待文化的多样性。保罗说："对犹太人，我就作犹太人"，但"对外邦人，我就作外邦人"。因此，他的方式是"对怎么样的人，我就作怎么样的人；无论如何，总要救一些人"。

早期基督徒都是犹太人，自然而然认为他们自己承载福音的文化模式适合所有的人，所以认定每个相信耶稣的人都务必全盘接受犹太文化；但是神却使用身为犹太人的使徒保罗，向那个时代和现今时代的人显明另外一条途径。在上面引用的经文中，保罗清楚地说明了神的方式，然后在使徒行传十五章2节及随后的经文中，我们发现他强烈反对早期教会中那压倒一切的观念，为外邦人能在**自己的**社会文化背景下跟随耶稣的权利据理力争。神首先亲自向彼得（徒十章），然后向保罗和巴拿巴显明，祂已经将圣灵赐给那些没有皈依犹太文化的外族人（徒十三～十四章），这才是正道。

但是教会一直忘记使徒行传十五章的教导，总是不停地转回到同一个想法，以为人要成为一名基督徒就要在文化上变得跟他们一样。新约时代之后的教会曾要求每个信徒都接受罗马文化，那时神就兴起了马丁路德，证明神能够接受讲德语并用德国方式敬拜祂的人。后来，英国国教的兴起也表明神可以使用英国人的语言和习俗；而卫理宗的兴起更让英格兰的普通百姓确知，神按着他们的文化接纳他们。由此我们看到，在每一个新兴宗派的形成过程中，总会遇到一些重大的文化问题。

但令人悲哀的是，问题的症结依然如故。福音的传播者继续把他们的文化或宗派传统强加给新信徒！如果我们真的想合乎圣经，就应该**调整我们自己和我们对神信息的诠释和呈现方式**，以便适应福音受众的文化，而不是像一些早期犹太基督徒那样歪曲神的本意（徒15:1），他们要求新信徒变得像他们一样，才能被神接纳。

作者自1969年起担任富勒神学院跨文化研究的跨文化沟通和人类学教授。他与妻子玛格丽特曾在尼日利亚宣教。作者也从事教导和写作工作，其领域包括人类学、世界观、处境化、跨文化沟通、内在医治以及属灵争战。

# 文化和世界观的定义

**文化**这一术语，是人类学家给支配人们生活的结构化习俗和潜在世界观所贴的标签。文化（包括世界观）是人们生活的方式，是他们对生活的规划以及对生理性、物质性和社会性环境的处世之道；包括后天习得的、模式化的预设（世界观）、观念和行为，以及由此衍生的手工制品（物质文化）。

处于文化最深层次的世界观，是一套与文化有关的结构性预设（包括价值观和委身／忠诚），人们以这些预设为基础来理解和回应事实。世界观与文化是**不可分离的**，蕴含于文化的至深之处，是人们一切生活的基础。

文化好比一条河流，有表层，也有深层。表面是可见的，然而河流的大部分深藏于表层之下，几乎无法看到。河面上发生的任何情形都是由深层的状况引起的，比如说水流缓急、河水清洁与否、河中夹杂的异物等等。河面上的一切表象既是河流对外部现象作出的反应，亦是河流深层特质的外显。

文化也是如此。我们在文化表面上看到的是人们模式化的行为，但是这个模式化或结构化的行为，虽然让人感到印象深刻，却只是文化中的次要部分。文化最深

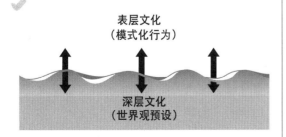

表层文化
（模式化行为）

深层文化
（世界观预设）

层的一些预设就是所谓的**世界观**，人们依据这些世界观，做出相应的行为表现。文化的表层会受到外在因素的影响，但是可能只在表层产生变化；然而，这种改变的性质和程度，将会受到蕴含于文化深层的世界观的影响。

文化（包括世界观）乃是结构性或模式化的事物，文化本身并**不做什么**。文化就像演员所依循的剧本一样；剧本仅提供指导，演员通常根据剧本来表演，只是偶尔可能因为忘了台词而修改剧本，或是因为其他人脱稿演出而必须随机应变。

文化包含几种层次。层次越"高"，多样性就越大。比如说，在**多国范围**的层次上谈论文化（或世界观），我们可以说"西方文化"、"亚洲文化"或"非洲文化"；这样的文化本质涵盖众多独特的国家文化，所谓的**西方文化**，就包含了德国、法国、意大利、英国和美国等国的多种不同文化。**亚洲文化**则包含中国、日本和韩国等国的多种不同文化；在这些国家文化内又可能包含很多**亚文化**，例如，美国有西班牙裔美国人、美洲印第安人、韩裔美国人等等。在这些亚文化内，我们还可以细分为**社区文化**、**家族文化**，甚至**个体文化**。

此外，"文化"这个术语可以用来指不同类型的策略（或应对机制），这些策略为许多不同社会的群体所采用。因此我们可以谈论更为特定的群体文化，比如**穷人文化**、**聋人文化**、**青年人文化**、**工厂工人文化**、**出租车司机文化**，甚至**妇女文化**。透过这样的方式来界定人群，有助于我们制定向他们传福音的策略。

# 人与文化

提到文化，无论是专业人士还是普罗大众，都常常把它人格化。我们常听到这样的说法："他们的文化**使得**他们这样做"，或是"他们的世界观**决定**他们对现实的看法"。这些说法中的粗体字给人一个印象，好像文化跟人一样可以做些什么。

人们内在有一股"力量"促使他们依循自己的文化剧本做事，这就是"习惯"，但**文化里面或文化本身没有什么能量**。尽管习惯以极其强大的力量使人顺应依从，但是人们还是经常修改旧的习俗，创制新的习俗。从事跨文化的福音工人需要认识到人决意改变的可能性，也要知道习惯的作用与力量，这两方面都极其重要。

这两者的区别体现在**文化**和**社会**这两个词的对比中，文化是指结构，而社会则指人自己。当我们感觉到有压力需要依从时，所感受到的实际上是来自人的压力（即社会压力），而不是来自文化模式（剧本）本身的压力。

从下页的表格我们归纳出，人们的行为和该行为的文化结构的区别。

## 文化和世界观应受到尊重

文化或世界观的结构既在我们之外，也在我们之内发挥作用。我们完全沉浸在其中，关系难分，就好比鱼与水一样；鱼没有意识到水的存在，我们也没有意识到呼吸进来的空气的存在。事实上，我们大多是在进到一个异文化环境中，并且观察到与自己不同的习俗时，才注意到文化的存在。

不幸的是，当我们看到别人依循与我们不同的文化方式和世界观预设来生活时，往往会为他们感到难过；好像他们的方式不如我们的好，甚至可能会设法把他们从那种习俗中"解救"出来。

然而，耶稣却尊重人们的文化以及它所包含的世界观，从未试图把人从文化中抢夺出来；正如祂进入犹太人的文化生活中与他们交流，我们也要进入我们福音对象的文化之中生活。我们要效法耶稣的榜样，认识到由内向外的工作方式，要求我们依据圣经原则作为出发点，对人们的文化和世界观预设，加以评析、分辨、接纳；如果我们要有效地作见证，那么我们说话和行事的方式，都必须尊重在他们看来是唯一可行的生活之道。同样，如果当今的教会希望群体能认识到福音的意义，那么就应像早期教会适宜于第一世纪人们的生活一样，适应福音对象的文化背景。我们称这种因时制宜的教会为"灵活对等教会"（柯瑞福，1979）、"处境化教会"或"本土化教会"。

# 文化的子系统

由于处于核心地位的世界观对文化具有全面的影响，我们可以把表层文化细分为不同的**子系统**。这些子系统提供了预设世界观的多种行为表达方式。

宣教士很容易想用西方基督教的宗教形式来取代传统宗教。然而，基督徒的福音见证应该顾及到人的世界观，好从文化的核心来影响每个子系统。文化有很多子系统，其中一些如右图所示。真正归信的

## 人和文化

| 人（社会） | 文化 |
| --- | --- |
| **表层行为**<br>我们习惯性地做事、思考、说话与感受，但有时也会脱离常规，运用创造力。 | **表层结构**<br>我们做事、思考、说话与感受时所习惯性依循的文化模式。 |
| **深层行为**<br>我们大多数时候习惯性地作出的假设、评估和委身，但也可能运用创造力：<br>1. 涉及选择、感觉、推理、理解和评估时；<br>2. 涉及如何赋予意义时；<br>3. 涉及解释、人际关系、自我委身、适应或决定试图去改变周围的事物时。 | **深层结构（世界观）**<br>我们作出预设、评估和委身等深层次行为所依循的模式。<br>涉及选择、感觉、推理、评估、解释、人际关系、自我委身，适应或试图去改变周围事物的模式。 |

人（无论是在美国或海外），需要在他们文化生活各个层面，体现出符合圣经标准的基督徒态度和行为，而不只是局限于宗教活动中。

如果我们为基督去向人们传福音，愿意看到他们聚集在既荣耀基督又肯定文化的教会里，那么我们就必须在他们的文化之内，按照他们的世界观与他们交流。更多了解他们的文化和世界观，才能更有智慧地与他们交往，而不会适得其反。

## 世界观和文化的改变

如同树木，如果根扎得又深又广，必定结实累累；同样，任何影响人们世界观的事物，都会影响到整个文化，当然也会影响到依照该文化行事的人。

耶稣深谙此理，当祂想要阐述重要观点时，总是瞄准世界观这一层。有人问："谁是我的邻舍呢？"祂就给他们讲了一个好撒玛利亚人的故事，然后问谁是那个人的邻舍（路10:29-37）？祂这是在引导他们重新思考问题所在，希望他们改变系统深层的基本价值观。还有一次，耶稣说：

你们听过有这样的吩咐："当爱你的邻舍，恨你的仇敌。可是我告诉你们，当

## 文化的子系统

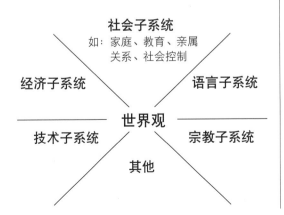

社会子系统
如：家庭、教育、亲属关系、社会控制

经济子系统

语言子系统

世界观

技术子系统

宗教子系统

其他

爱你们的仇敌，为迫害你们的祈祷……有人打你的右脸，把另一边也转过来让他打。"（太5:39, 43-44）

耶稣的一言一语都犹如种子一样撒向人们的心田，就是要改变人们深层的世界观。

深层的改变常常导致失去平衡感，那位于文化核心层面的世界观若发生任何失衡，都会波及文化的所有层面，引发问题。比如，在世界观的层面上，美国人相信自己的国家在战争中永远立于不败之地，但是在越战中却没有获胜；之后数年，极度沮丧的情绪依旧弥漫在整个社会，而造成那个时代的严重动荡不安。

如果人们仅在文化的表层做些有益的改变，即便用意是好的，却疏忽这些变化所含的深层意义，那么也会引发重大的世界观问题。例如，宣教士要求非洲实行多妻制的人，在受洗前必须与"多出的妻子"离婚，这导致非洲人不管是基督徒或非基督徒，在世界观层面对基督教的神产生了某些看法。他们会这么想：神反对非洲社会中的真正领导人、神不喜悦女人在家中得到帮助和陪伴、神想男人只被一个妻子套住（那些白人看上去不就是这样）、神不看重社会责任、赞同离婚，甚至卖淫。在他们看来，这样的推论没有一个不合理，或有什么牵强。我们当然相信神的心意是每个男人只有一个妻子，但宣教士这种强制性的改变做得太断然急促，不明白在旧约时代神是如何的耐心、花了多少代的时间来废除这种陋习。

就算是善意的改变，如果方式不恰当，也会引起文化的堕落，甚至道德的

失丧。在尼及利亚南部的伊比比奥族（Ibibio）中，神饶恕的信息吸引许多人归向基督教的神，因为他们觉得这位神比他们传统的神仁慈多了；信基督的人想，反正无论做什么，神总会饶恕他们，而不需要持守公义。另外，在澳大利亚的土著野悠榕族（Yir Yoront）中，宣教士引入了铁斧来代替传统的石斧，可是他们把斧头给了女人和年轻男人，结果给整个社群带来极大的破坏。原来女人和年轻男人需要从年长的男人那里借用斧头，这种习俗由来已久；如今发生的改变虽然给人带来更好的技术工具，却挑战了他们预设的世界观，破坏了领导者的权威，造成社会混乱，整个族群几近灭绝。

## 适切的处境化基督教

基督徒作见证的目的是看到人归向基督，并形成我们称之为教会的群体，教会既要符合圣经原则，又要适宜当地的文化。教会在一个族群的生活中"文化融入"（inculturated）的过程称为"本土化"（indigenization），但是现在更多称作"处境化"（contextualization）。

基督教的处境化是新约圣经记述的重要部分。使徒把用亚兰语表述、又承载在文化中的基督教信仰，传给那些讲希腊语的人们，这就是一种处境化的过程。为了让基督教适应讲希腊语的人，使徒按照福音对象的思维模式来表达基督教的真理；他们运用并转换本地的语言和概念来讲论诸如神、教会、罪、改信、悔改、入教、神的话语（**道**，*logos*）这样的主题，以及许多基督徒生活和实践中各领域

的问题。

　　早期的希腊教会面临被犹太教的宗教习俗支配的危险，因为他们的带领者都是犹太人；然而，神却引导使徒保罗和其他人与犹太基督徒抗争，为讲希腊语的外邦人发展出处境化的基督教模式。为此，保罗不得不与犹太教会的许多领袖进行长期的争辩，因为他们认为基督教传道人的工作，就是将犹太人的神学观念强加给新归信的人（参徒十五章）。这些保守的犹太人是异端分子，保罗与他们抗争，为讲希腊语的基督徒争取用自己的语言和文化来表达福音的权力。从使徒行传第十章和第十五章的信息中，我们得出这样的结论：神的心意是，无论在历史任何时段，圣经中的基督信仰，应该都能在任何的语言和文化内呈现"再道成肉身"的精神。

　　根据圣经，基督教的处境化，并不是把已经在欧洲或美国发展成形的**信仰模式**（product）全盘接收而已，而是要依循早期使徒所走过的**路径**（process）。我们再用树木作例子，基督教不应该像一棵移栽的树木，在某个社会中获得营养和成长，然后带着叶子、枝条和果实这些原来社会的固有记号，被移植到一个新的文化环境中；福音应像**种子**，**播撒**在接受者的文化土壤中，然后发芽渐长，并且从中获得雨露和养分。从纯正的福音种子发芽长成的树，其外形可能和输出福音的社群中长大的树差异很大，但是在地面下的世界观层次，其根基是一样的，生命也来自于同样的源头。

　　真正处境化教会的基本信息是一致的，信仰的核心教义明确清楚，都基于同一本圣经。但是，基本信仰信息的表达方

> 福音应像种子，播撒在接受者的文化土壤中，然后发芽渐长，并且从中获得雨露和养分。

式及很多议题的重要性，在每个社会中都有所不同。比如说，处境化的非洲基督教相较于美国的基督教会更突显圣经中有关家庭关系、面对惧怕和邪灵的教导，他们提倡舞蹈和既定的宗教仪式等方面也比在美国基督教会的处境中更明显。

　　虽然今天很多非西方教会的教义表达和敬拜方式都受西方主导，但是固守传统依样画葫并不合乎圣经。当然，任何一个社会中人们面对的基本问题（如罪的问题、与基督建立关系的需要）都是相似的，但是针对每一个文化群体，我们都应当用适宜其文化的方式来处理那些问题。基督教应该与人们在各自的处境中挣扎的问题息息相关，这是个令人感到振奋的努力方向。

## 处境化基督教的风险

　　然而试图推广既融合文化、又符合圣经的基督教，要冒很大的风险，总是会有**混合主义**（syncretism）的危险。混合主义是指将基督教的信仰预设和那些与基督教信仰不相容的世界观的预设相混合，其结果一定不会是符合圣经的基督教。

　　无论何时，若是人们误以为运用基督教仪式可以驱魔，或用圣经向人施展魔

29

> 将基督信仰融入文化的努力，好像总会存在混合主义的风险；但是，为了让人们能够经历到真正合乎新约圣经的基督教，我们还是有必要冒这个风险！

法，那么混合主义就存在。像在印度，人们认为耶稣只是以人形向他们显现的诸神之一；在拉丁美洲，有人明目张胆地在教会里搞异教的占卜和巫术；还有人坚持要人归入不同的文化，才能成为基督徒。在美国，有人认为"美国的生活方式"是最合乎圣经教导的基督教；有人想当然地以为只要信心充足，就可以向神予取予求，且有求必应；或者以为，无须顾及圣经清楚的反对，对同性恋，甚至同性恋"婚姻"应该予以爱心和容忍，而听之任之，丝毫不予抵制。这些都是持定混合主义、不符合圣经的基督教思想。

混合主义至少表现为以下两种形式，一种是一味让接受福音的群体将他们既有的世界观预设附加到新接受的、外来信仰的表达方式上，结果衍生出某种"本土形态"（nativist）的基督教，甚至是犹如拉丁美洲的"基督化异教"。罗马天主教的宣教士尤其落入了这样的陷阱，以为只要人们采用所谓的"基督教"仪式和使用"基督教"术语，就达到宣教的目的了。

另一种导致混合主义的方式，是在基督教的践行方面对接受群体过度控制，以至于表层的实践和深层的预设都是引进的；结果形成一种完全异国的、不合时宜的基督教，要求人们依据国外的模式来敬拜神并实践信仰。新的信徒得发展出另一套特定的世界观以适应教会环境，但在教会以外，这套世界观基本上搁置不用。他们传统的世界观依然故我，几乎丝毫不为圣经的原则所改变。这就是一些福音派更正教基督徒所宣导的一种基督教，这可能是出于对第一种混合主义的恐惧。在很多情况下，这样的基督教吸引到的是一些西化的人士；但是大多数较为传统的人却发现，这样的基督教根本无法或极难满足他们的需要。原因是这样的基督教，无论是外在表述还是实践方式都太外国化，很难融入。

虽然如此，基督徒将基督信仰融入文化的努力，好像总会存在混合主义的风险；但是，为了让人们能够经历到真正合乎新约圣经的基督教，我们还是有必要冒这个风险！无论是教会开拓的初始阶段，还是外国模式的信仰表达存在已久，我们都务必要追求充满活力、动态而符合圣经的处境化基督教；也就是说，我们要勇于尝试适宜文化和合乎圣经的新方式，来理解、表述和实践"一次就全交给了圣徒的信仰"（犹3节）。其中尤其需要关注世界观层次所发生的改变。为此，我们无妨吸纳人类学家在文化和世界观方面的洞见，帮助我们传扬一个真正处境化、真正具有适切性，同时真正合乎圣经意义的基督教信仰。

# 认识文化有助于处境化

如上所述，对文化和世界观的认识能够让我们明白，什么是符合圣经和适应文化的方式。从这些研究探讨中，我们得到如下一些见解：

**1.神爱世人——爱处于各自文化中的人。** 圣经向我们表明，神愿意在每个人的文化和语言处境中动工，祂不要求人归向另外一种文化才能信祂。

**2.圣经中的文化和语言并非特殊神圣的文化和语言。** 就像我们当今世界上六千多种文化和语言的任何一种，圣经所使用的文化和语言都是一般人类（实际上还是异教的）的文化和语言。圣经表明神可以使用任何一种异教文化（甚至是希腊文化或者美国文化）及其语言向人类传达祂的信息。

**3.圣经表明神使用适应文化的方式与祂的子民同工。** 神使用已经通行的习俗，赋予全新的意义，引导人们为着神所定的目的、依据新建立的世界观来沿用这些习俗。这些习俗中有割礼、洗礼、山上敬拜、献祭、会堂、圣殿、膏抹和祷告。神期望当今的教会具有文化适切性，沿用一个族群中大多数习俗，但是赋予新的含义，按照神的目的来使用这些习俗。这样，人们在世界观的层次上和表层上都将得到改变。

**4.神在文化内作工，文化一定因此而改变。** 神首先改变人，然后透过他们改变文化结构。至于该结构内发生怎样的变化，则取决于人们对圣经的理解，和神在他们生命中的作为，以及圣灵的引导和推动，而非外在的压力。

**5.我们要遵行圣经的教导，同时敢于冒险运用接受群体的文化形式。** 虽然在一个新的文化内推动基督教的处境化，会有一面倒向本土形态混合主义的风险；但另外一种，在形式和含义上皆由舶来文化主宰，这样的宗教同样有悖于圣经，与混合主义的错谬并无二致。

---

### 参考资料

柯瑞福，*Anthropology for Christian Witness*. Maryknoll, NY: Orbis, 1996。

柯瑞福，《文化中的基督教》（*Christianity in Culture*）Maryknoll, NY: Orbis, 1979。

### 研习问题

1. 运用作者关于河流的比喻，描述文化和世界观之间的区别。
2. 解释区别文化和社会之间差异的重要性。
3. 为什么作者认为基督教的处境化会有风险？

# 第65章 中层缺失的反思

何保罗（Paul G. Hiebert）

作者曾任三一福音神学院（Trinity Evangelical Divinity School）宣教和布道系主任以及人类学和宣教学教授，之前曾在富勒宣教学院教授人类学和南亚研究。他曾在印度宣教，与妻子弗朗西丝合著了十本书，其代表作有《文化人类学》（Cultural Anthropology）、《宣教士的人类学省思》（Anthropological Insights for Missionaries）以及Case Studies in Mission。本文摘自《宣教议题下的人类学省思》（Anthropological Reflections on Missiological Issues）（1994年）。版权使用承蒙许可。

施洗约翰的门徒问耶稣："你就是那位要来的，还是我们要等别人呢？"（路 7:20）耶稣不是用逻辑去证明，而是用医治病人和驱赶邪灵的大能明证来回答他们，这一点很清楚！然而当我以前在印度宣教的时候，从一名宣教士的角度来读这段话语，想要应用到我当时的宣教事工中时，心里却有一种不自在。我是一个西方人，习惯用理性论证来传讲基督，而不是根据耶稣在有病的人、被鬼附的人和贫苦的人身上所彰显出的大能来传讲祂，特别是与邪灵的对抗。这些神迹奇事在耶稣看来如此自然，就是祂事奉的一部分，但是在我的心里，这些事件与我们普通的日常经验相距甚远，甚至属于一个不相关的奇迹世界！

我在印度事奉的早期，有另一件事情也让我感到不安。有一天，当我在珊莎波（Shamshabad）圣经学校上课的时候，看到叶拉雅（Yellayya）出现在教室后面的门口。叶拉雅看起来很疲惫，因为他从姆钦塔拉（Muchintala）走了很远的路才来到珊莎波，他是那里教会的长老。我给学生交代一些阅读作业之后，就和叶拉雅一起到了办公室；我问他来这里的原因，他就告诉我说，几个星期之前，天花传染到村子里，已经有一些孩子染病死了。接受过西方医学培训的医生曾想尽办法要阻止这场瘟疫，但是都徒劳无功。最后，在绝望之中，村里的头目们请来一位占卜师；占卜师告诉他们说，天花女神姆西木（Museum）对村子很生气。

村子必须献上水牛为祭，才能使她息怒，让瘟疫停止。村里的长老挨家挨户走遍村子，要集资买水牛；可是当他们来到基督徒家里，基督徒拒绝给他们任何东西，说那样做与他们的宗教信仰相违背。长老们怒不可抑，扬言除非每一家都奉献出某些东西作为象征性的供奉——哪怕只是一个小硬币也可以，否则女神将不会甘休，[1] 基督徒还是拒绝了。于是长老们禁止他们到村里的水井打水，而且做生意的也不卖食物给他们。

最后，有一些基督徒想，就给一点小钱打发以免骚扰吧！只要向主表白这意思不是要给女神供奉就好了。但是叶拉雅坚持不允许他们这样做。可是现实摆在眼前，现在真有一个基督徒女孩染上了天花！叶拉雅希望我和他一起祷告，祈求神的医治。当我跪下来的时候，我的脑海里一片混乱。我自小就学习祷告，在神学院我研究祷告，作为牧师我也宣讲祷告。但是现在，我要为一个生病的孩子祷告，全村的人都等着看，到底基督徒的神是否能医治疾病？

为什么我在阅读医病赶鬼的经文和在印度的村庄里都会有不自在的感觉呢？问题是不是（或至少部分是）由于我自己的世界观引起的呢？身为西方人，我对客观性存在和世界都有特别的预设而不自觉——但是一个人如何能发现这些预设呢？因为人们都觉得理所当然，甚少觉察到早就持定的预设。明白这个问题的一个方法就是去研究另一个文化的世界观，用以比较我们如何看待世界。

## 印度村庄里的疾病和治疗

印度的村庄里有很多疾病。按照印度人的世界观，如果人得了"热"疾，例如天花，就必须要用"冷"的药物或食物来治疗；如果他们得了"冷"疾，例如疟疾，就必须要用"热"的食物或药物来治疗。有些人生疮、创伤和骨折需要治疗，有些人患精神疾病要治疗，女人不能生育可能是受到咒诅。个人或整个家庭有时噩运连连、不断遭抢，或遭房屋失火等灾祸所折磨；也可能被坏脾气、嫉妒或仇恨控制；或是被邪灵附身，被天象或魔法伤害。

像其他地方的人，印度村民也自有一套传统的方法来处理这些疾病。对于严重的情况，特别是那些危及生命，或涉及

人跟人之间的关系的病例，他们就去求助"圣人"（*sadhu*），他们是宣称能够依靠祈祷治病的神人。因为神明知道所有的事情，包括疾病的性质和原因，所以"圣人"无需诊察；况且，因为他们是有灵气的人，所以不收费。可是，那些得到医治的人还是会把钱交给"圣人"，以示给神慷慨的奉献。

对于其他病情，尤其是村民怀疑是由于邪恶的人或力量引起的病例，村民就去求助术士或巫师。术士（*mantrakar*）或巫师就用咒语，控制人们所相信的那些超自然的神灵和力量。例如，某一天星象上的邪恶力量特别强大，那一天就不吉利，如果有人硬要外出，就可能会被毒蛇咬伤；为了疗伤，巫师必须要念七次这样的咒语（有魔力的念诵）——一次针对毒蛇背上的一道条纹，就说了一堆："*om namo bhagavate. sarva peesachi gruhamulu nanu dzuchi paradzuru. hreem, klem, sam phat, svaha……*" 这个咒语把一组舌音有力地结合在一起以反击邪恶力量，之后再发出一连串强有力的声音（*hreem, klem,*

sam, phat, svaha......），这些声音会进一步增强能力。有时候，巫师会使用看得见的符箓（yentras；如下图）或护身符来控制这个世界的神灵和力量；因为他们能够占卜出折磨病人的邪恶力量的性质和原因，所以他们也不需要诊察，并像"圣人"一样，接受那些得到帮助之人的奉献。

第三类从事医疗的人是医生（vaidyudu），他们用科学知识医治病人，这些知识是以阿育吠陀（ayyurvedic）或尤那尼（unani）的医药系统为基础的。他们有精湛的诊断技巧，所以这些人也不询问病人。据村民说，这些医生触摸他们的手腕、腹部和身体，就能够诊断出他们的疾病；因为这种功夫非常有效，所以收费很高，不过他们保证，病人痊愈才收药费和服务费。

另外，村里还有江湖医生，用民间的偏方给人治病。他们的知识比较有限，所以必须询问有关疾病的问题：哪里疼？疼多久了？是否与什么病人接触过？吃了什么？出于同样的原因，他们的收费较低，并且没有任何保证！人们必须要先付钱才能拿到药。我们不要感到惊讶，过去人们也常常认为西方的医生与江湖医生没有两样。

那些已经成为基督徒的村民怎么办呢？如今他们当中的大多数人，把以前给"圣人"的问题，带到基督教的牧师或宣教士面前。基督取代克里希那（Krishna）或湿婆（Siva），成了他们属灵疾病的医治者；对许多原来求助于医生和江湖医生治疗的疾病，他们现在转向西方的对抗疗法。但是，对术士曾经祛除的灾祸该怎么办？对邪灵附身、咒诅、巫术或魔法该怎么办？基督教对这些问题有什么答案呢？

宣教士或医生通常对此无以应对。他们说，这些东西根本不真正存在！但对那些在生活中真实经历过这些事情的人来说，他们必须找到另一种说法；因此，他们当中许多人又转回到巫师那里去寻求答案。

魔术在基督徒中间残存的情况，并非印度独有。世界上的许多地方也是一样，魔术和巫术在西方一直持续到十七世纪，那个时候，福音传到这些地方已经一千多年了。

# 一个分析框架

为了理解圣经的教导、印度的情况，以及解释为何术士能满足印度人对抗灵界的需求，但西方宣教士却不能，我们要建立一个分析的框架。了解这个框架，我们需要两个维度的分析。

## 1. "可见／不可见"的维度

第一个维度是"无所不在／超然存在"的维度。一端是我们感官的经验世界：所有的人都能认知到这个世界，并且发展出民间科学来解释和控制它。人们发展出关于周围自然界的理论，例如：如何建造房子、种植庄稼，或划独木舟；也有关于人类关系的理论，例如：如何养育孩子、对待配偶和与亲戚相处。当一个那加（Naga）部落的人把鹿的死归因于箭射，或一个克伦（Karen）人的妻子用锅下的火来解释熟了的饭时，他们是根据经验的观察和推论来作解释。在这个意义上，西方科学不是独一无二的。在对经验世界的探索上，西方科学也许更加系统化，但是所有民族都有各自的民间科学。

在这个层次之上（离人类的经验比较远）的是人类不能直接感知的存在和力量，但人们相信它们的确存在于这个地球上。包括灵、鬼、祖先、恶魔，以及居住在树林、江河、山野和村里的男神、女神；它们不是生活在其他的时空里，而是与这个时空里的人类和动物生活在一起。在中世纪的欧洲，这些灵体包括巨魔、精灵、地精、淘气鬼和魔仙，人们相信这些都是真实的。这个层次也包括超自然的力量，例如神力、星象的影响力、凶眼，以及妖法、魔术和巫术的力量。

离人类能够直接经历到的世界最遥远的，是在这个世界之上的超然世界，例如地狱和天堂，以及诸如永恒之类的其他时间。非洲人至高神的观念、印度教毗湿奴（Vishnu）和湿婆的概念，都属于这一超然领域，犹太人观念中的耶和华亦然，祂与迦南人的巴力和亚斯他录形成鲜明对比；后者是这个世界的神，属于中层。诚然，耶和华介入了这个地球上的事情，但祂的居所是在地球之上。同属这个层次的还有超然的宇宙力量，例如因果报应和天命。

## 2. "有机／机械"的连续区

学者普遍注意到，人类基于日常生活经验而使用类比的方法来描述自然界，并且解释更广大世界的运作。有两种基本的类比方法尤其普遍：

（1）有机类比法 —— 视事物为生命体，彼此相关。

（2）机械类比法 —— 视事物为无生命的物体，交互作用，就像机器的不同部件。

在有机类比中，人们认为所研究的对象在某种意义上是活着的，经历着类似于人类的生命过程，并且彼此之间的相互关系类似于人类之间的关系。例如，在试图描述人类的文明时，哲学家奥斯维德·斯宾格勒（Oswald Spengler）和历史学家阿诺德·汤因比（Arnold Toynbee）用的就是有机类比法：文明诞生、成熟，最后死亡。相类似地，传统的宗教人士认为很多疾病是由邪灵引起的，因为这些邪灵是活着的，可能被激怒，也可以靠着祈求或献祭而得到安抚。基督徒认为自己与神的关系也是有机的。神是有位格的，人类与祂的关系就像人与人之间的关系一样。

有机解释是从生命体（living being）彼此相关的角度来看待世界的，就像人和动物一样，可能会发起行动和回应其他物体（objects）的行动。人们认为诸神可能有自己的感觉、思想和意志，人们也常常把他们看作是社会存在（social being）：会相爱、结婚、生子、争吵、斗争、睡觉、吃饭、劝告和彼此要胁。

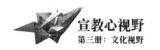

# 用于分析宗教体系的框架

**有机类比**
以生命体与其他生命体相关的观念为基础。强调生命、人格、关系、功能、健康疾病、选择等等。生命体的关系在本质上是与道德有关的。

**机械类比**
以客观物体被力量控制的观念为基础。强调事件客观的、机械的和宿命性的本质。力量在本质上是与道德无关的。

**以形而上存在体为基础的高等宗教**
宇宙众神明、天使、魔鬼，以及其他世界的灵。

**以宇宙力量为基础的高等宗教**
天命、命运、婆罗门和因果报应，非人格的宇宙力量。

**不属这世界的**
认为实体和事件发生在其他世界、其他时空。

**不可见的或超自然的**
在直接感官经验之外。用自然法则无法解释。这些知识以推理会超自然的经验为基础。

**民间或低等宗教**
当地的男神和女神、祖先和鬼、灵、恶魔和邪灵、死去的圣人。

**巫术和占星术**
神力、占星力、魔力、护身符和魔法仪式，凶眼、毒舌。

**可见的或经验的**
靠感官直接观察到。知识以实验和观察为基础。

**民间社会科学**
诸如人，甚至动物和植物等生命体之间的交互作用。

**民间自然科学**
自然物体以自然力量为基础相互作用。

**属这个世界的**
认为实体和事件发生在这个世界和这个宇宙中。

而在机械类比中，人们认为所有的事物都是无生命的，是属于更大的机械系统的一部分，受自然界客观力量或客观规律的控制。例如，西方科学认为，世界是由无生命的物质组成的，这些物质基于力学原理相互作用。当地心引力将一块石头拉向地面时，并不是地球和石头想要相碰——在这件事情上，地球和石头两者都没有任何意识。在西方科学中，即使是生命体，人们也往往认为，它们受困于一个由客观力量组成的世界当中。正如我们从树上掉下来的时候，无法选择在我们身上会发生什么事情一样。人们普遍认为无法控制幼儿时期影响我们的力量，也相信正是这些力量把我们塑造成了今天的样子。

机械类比对未来的看法在本质上是宿命性的，机械系统中的生命体受客观力量的支配；但是如果他们知道这些力量的运作规律，就会为了自己的益处，操纵或控制这些力量。从某种意义上说，这样他们像神一样施加影响，控制自己的命运。

机械类比从根本上来说是与道德无关的。力量本质上既不好，也不坏，像是一把两刃的剑。在另一方面，有机类比的特点是顾及道德，认为一个人的行为总会对其他人产生影响。

人类学家指出，现代科学、巫术和占星术之间存在许多相似之处，因为这三者都应用机械类比。正如科学家知道如何控制实验证明的力量，来完成他们的目标一样；术士和占星家用反覆念诵咒语和施展仪式的方法，来控制这个世界的超自然力量，从而实现人类的目的。

西方人和许多传统宗教的信众之间，存在一个最大的文化鸿沟就在这个层面。

前者已经深深地接受了宇宙和社会秩序的机械观；[2] 对他们来说，世界的基础就是客观力量控制的无生命的物质。许多部落的信徒则认为世界是活的。他们认为不仅人类，而且动物、植物，甚至石头、沙子和水都有个性、意志和生命力。这个世界是彼此关联的，而不是机械注定的。

## 中层失落

我对圣经和印度人的世界观感到不安的原因，现在应该清楚了：我把包含这个世界超自然的灵体和力量的中层，从我自己的世界观中排除了。我是个科学家，所接受的训练是以自然主义的方法来处理经验世界；我也是个神学家，所接受的教导都是以有神论来回答终极的问题。对我来说，中层并不真实存在（参下图）！不像印度的村民，我很少想到这个世界的诸灵、当地的祖先和鬼或动物的灵魂。对我来说，这些属于魔仙、巨魔和其他神秘存在物的范畴；因此，对于他们提出的问题，我没有答案可以提供。

### 两层模式的西方世界观

| 宗教 | 信仰<br>奇迹<br>另外世界的问题<br>神圣的 |
|---|---|
| **失落的中层** | |
| 科学 | 眼见和经验<br>自然秩序<br>这个世界的问题<br>世俗的 |

这种双层的世界观是如何在西方出现的呢？在十七和十八世纪，随着柏拉图的二元论和基于唯物主义的自然论广被接受，有关中层的信念就开始消亡了。[3]结果是科学世俗化和宗教神秘化！科学用机械类比来处理经验世界，把其他世界的事情留给宗教去处理；而宗教通常采用的方式是有机类比。科学以感官经验、实验和证据的确定性为基础；有关异象、作梦和内在感觉的信仰的事情，则留给宗教去处理。科学寻找自然法则的秩序；宗教则被用来处理奇迹和自然秩序中的特例，但这些奇迹和特例则随着科学知识的发展而减少。

至此，许多在西方接受训练的宣教士，对中层的问题没有答案的原因，应该显而易见了。他们往往连中层都看不到！当部落群众谈到对邪灵的恐惧时，他们不是宣告基督的能力胜过邪灵，而是否认邪灵，认为它们根本不存在。纽毕真（Lesslie Newbigin）指出，其结果是西方的基督教宣教运动，已经成为历史上最大的世俗化力量之一。[4]

西方人发现难以回答有关中层的问题。那些到底是什么问题，与科学以及宗教提出的问题有什么不同？科学作为一个解释系统，无论是民间科学还是现代科学，回答的都是关于可以直接体验到的世界的本质问题。所有人都有关于如何养育孩子和组织社会活动的社会理论，所有人对自然世界以及为了自己的益处如何控制自然界，都有自己的观念。

宗教是一个解释系统，处理个人、社会和宇宙的起源、目的和命运等终极问题。在西方，焦点是在个人身上；在旧约里，焦点是在社会性的以色列身上。

那中层的问题是什么呢？人们发现中层的问题涉及到未来的不定性、当前生活的危机以及过去的不明之事。尽管人们掌握了知识的事实，例如，只要你播下种子，就会发芽生长和结果实，或如果你乘船顺着这条河下去，你就会到达邻村；但是，未来却是难以预测的，意外、不幸、他人的介入，以及其他未知事件都可能阻止人的计划。

一个人如何能够防止未来发生意外，或保证未来的成功呢？如何能够确保婚姻美满、幸福和持久呢？人如何能够避免登上即将坠毁的飞机呢？在西方，人们把这些问题放到一边，不去回答，只说那是意外、运气或不可预见的事，因此不予解释。然而，如此重要的一堆问题却没有答案，许多人并不甘心；因此他们转而向祖先、鬼神、女巫和当地神明寻求答案，或依赖巫术和占星术。

同样，当前生活中的危机和不幸也必须要应付，诸如突发的疾病和瘟疫、持续的干旱、地震、生意失败，以及经验无法解释的健康问题。医生已经竭尽全力，但孩子的病却更严重了，或是一个人沉溺于赌博，而赌注又很高，这时候该怎么办呢？很多人再次在中层中寻找答案。

有些过去的事情，人们也渴望找到答案：为什么我的孩子早夭？是谁偷走了藏在房子里的钱？在这里，再一次，当经验的解释不能提供答案时，超经验的解释往往能够提供答案。

因为西方世界不再对中层的问题提供答案，所以很多西方宣教士在他们的基督教世界观里，没有关于中层问题的答案。

关于祖先、动物与植物、当地的灵与邪灵附身，和执政的、掌权的，以及管辖这个幽暗世界的邪灵（弗6:12），基督教的神学观是什么呢？部落中的初信者想要知道，基督教的神如何告诉他们：应该去哪里和该在什么时候打猎？他们是否应该把这个女儿嫁给那个年轻人？或是他们在哪里可以找到丢失的钱财？这个时候，我们该怎么回答呢？得不到答案，他们就回头转向那些能够给他们明确答案的占卜师，因为在他们的日常生活中，这些问题都非常重要。

# 对宣教的意义

## 一、需要整全的神学

这一切对宣教有什么意义呢？首先，这告诉我们，宣教士需要发展出涉及到生命所有领域（参下图）的整全神学，避免西方柏拉图主义二元论的影响，并且对身体和灵魂都给予足够的重视。

在最高层次上，整全神学包括神参与了宇宙历史——参与创造、救赎、所有事物的目的和命运。只有把人类的历史置

---

## 整全神学

神参与历史的整全神学，综合了几种世界观：相信神不仅参与了宇宙的历史，而且也参与了人类的历史和自然的历史。只有这样综合的历史神学，才能帮助我们避免在应用上，陷入通灵术的泛灵论，或世俗主义世界观的危险。

| 宇宙历史 ← | 真理较量 | → 其他宗教 |
|---|---|---|
| 自我、社会和宇宙的起源、目的和命运的终极故事。 | 神参与宇宙历史：参与创造、救赎、万物的目的和命运。 | |

| 人类历史 ← | 权能较量 | → 泛灵论的精灵主义 |
|---|---|---|
| 未来的不确定，当前的危机，过去不可解释的事件。人类经验的意义。 | 神参与人类历史：参与国家、族群和个人的事件。包括引导、供应和医治的神学；有关祖先、诸灵和无形能力的神学；以及关于苦难、不幸和死亡的神学。 | |

| 自然历史 ← | 实证较量 | → 世俗领域 |
|---|---|---|
| 人类和他们社会关系的本质和秩序，自然世界的本质和秩序。 | 神参与自然历史：参与创造和维持宇宙的自然秩序。 | |

于宇宙观念之中时，它才具有意义；也只有当历史有意义时，人类的故事才变得有意义。

在中间层次上，整全神学包括神参与了人类历史——参与在国家、族群和个人的事件中。整全神学必须包括有关神的引导、供应和医治的神学，包括祖先、灵体和这个世界不可见的力量的神学，以及关于苦难、不幸和死亡的神学。

在这个层次上，有一部分教会发展出以圣徒作为神和人之间的中间人为特征的教义，其他的教会则发展出特别的圣灵论，指出圣灵显明神积极参与人类历史事件。许多最成功的宣教团体，对中层的问题都提供了某种形式的基督教答案，他们的成功并不是出于偶然。

在底部层次上，整全神学包括意识到神参与了自然历史——参与维持事物的自然秩序。只要宣教士还带着双层的世界观，把神局限在依据自主的科学定律、为一切实际目的而运作的超自然和自然的世界中，基督教就将继续成为这个世界的世俗化力量。只有当我们对自然的科学理解中考虑到神的作为时，才能阻止西方世俗主义的潮流。

## 二、处理中层的两个危险

我们构思回应中层问题的神学时，要提防两个危险。有关中层的问题包括：生命和死亡的意义，健康、疾病、干旱、洪水和失败等威胁，在未知世界里的指引。第一个危险是世俗主义，否认灵界存在于人类生活中的事实，并且单单用唯物主义理论来解释这个世界。现代科学所提供的答案不过如此。

第二个危险是回到徒有基督教形式的泛灵论，即用神灵和巫术来解释一切。在通灵术中，灵体支配现实，人类若要继续生存，就必须不断地与之争战，或是讨好它们；在巫术中，人们通过仪式和咒语来控制超自然的力量，以实现自己的个人欲望。无论是通灵术还是巫术，都是属人的和以自我为中心的；也就是说，一个人可以借由操控灵体和控制力量来获得想要的东西。两者都排斥了以神为中心的现实观，并且都拒绝以敬拜、顺从和降服作为对神当有的回应。初期教会与他们周围充满泛灵论的世界观相对抗，今天，人们可能为了避免受现代世界观中世俗主义的影响，而重新陷入基督教化的泛灵论的危险。

## 三、以神为中心的整全神学

圣经为我们提供了第三种世界观，既不是世俗的，也不是泛灵论的。与世俗的著述不同，圣经非常重视灵界的事实！圣经时常提及神、天使、撒但和魔鬼；然而，圣经又非常重视自然界和人类。与希腊和罗马神话以及其他伟大的宗教经典，例如波斯古经《阿维斯陀》（*Avesta*）和印度史诗《摩诃婆罗多》（*Mahabharata*）等不同，圣经关注的中心不在灵界的活动上，[5] 而是在于神和人类的历史，以及他们彼此的关系上。人类要为自己的行为负责。他们受试探，但是选择了犯罪；神向他们发出救赎的呼召，他们必须要回应这一呼召。圣经也指出，受造物是一个有秩序的世界，依照神命定的规律运作。

我讲这些，并不是说我们不需要处理灵界及其相关的主题。而是说，我们的神学需要集中在神和他的作为上，而不是像现代世俗主义和泛灵论那样专注于人类和他们的欲望。我们的重点应当是对真神的敬拜以及我们与祂的关系，而不是用什么方法（例如念诵和咒语）来控制神，以达到我们自己的目的。

我在姆钦塔拉的事件中学习到，敬拜和控制之间的界线非常微妙。在我们祷告聚会一个星期之后，叶拉雅告诉我那个孩子仍旧死了。我感到自己彻底失败了！如果我的祷告不能带来医治，也得不到应允，那我算什么宣教士？然而，几个星期之后，他带着胜利的喜悦回来看我。我问他："孩子死了，你怎么还这么高兴？"

叶拉雅回答道："如果神医治了那个孩子，村里的人会承认我们神的大能，但是他们也知道她最终还是会死。在葬礼上，他们看到我们对复活和在天堂团聚的盼望，他们认识了一个更大的胜利：连死亡也被战胜了。从此，他们开始询问有关基督信仰的事情了。"

我开始以一种新的方式来思想，对于祷告，那些给神带来无上荣耀的应允才是真正的应允，而非那些满足我们即时欲望的应允。人很容易把基督教变成一个新的巫术，我们在其中像神灵一样，试图支配神，让祂照我们吩咐的而行。

我们已经想到神学理论来回应中层的问题，现在需要据此检验我们所服事的人，他们信什么。遇到诸如闪电、天花和生意上的失败等等，他们可能归因于自然诸灵；但我们可以根据神督管之下的创造秩序，来作出更好的解释。另外，一些事情则确实是撒但和其他堕落天使作祟，但是撒但大多数的作为对人来说是隐蔽的，对此我们必须辨别和抵制。

面对泛灵论世界观，我们传扬信息的核心，应一直集中于神的伟大、圣洁和大能，以及祂在人类生命中的作为。正是神把我们从那恶者的权势下释放出来，并赐给我们力量去过自由、得胜的基督徒生活。

## 附注

1. 印度最小面额的硬币是匹萨（pisa），其价值不到两分人民币。

2. 彼得·柏格（Peter L. Berger）、白丽特·柏格（Brigitte Berger）与凯诺（Hansfried Kellner）著，曾维宗译《飘泊的心灵——现代化过程中的意识变迁》（*The Homeless Mind: Modernization and Consciousness*）（台湾：巨流，1978）。

3. Roger K. Bufford, *The Human Reflex: Behavioral Psychology in Biblical Perspective* (San Francisco: Harper and Row, 1981), p. 30。

4. 纽毕真著，黄明德译《应世的宗教》（*Honest Religion for Secular Man*）（台南：东南亚神学院协会台湾分会，1976）。

5. 单单圣经里的词语计数就能反映出这一点。在英王钦定本中，神（God）一词用了3,594次，耶和华（Jehovah）一词用了4次，基督（Christ）一词用了522次，耶稣（Jesus）一词用了942次，神的灵（Spirit of God）一语用了26次。还有许多其他提及主和灵的地方也可以指神。圣

经中有362处提到天使和基路伯，158次提到撒但、路西弗、恶者和污鬼。提到人类的地方则多达4,324处。

## 研习问题

1. 根据作者的看法，为什么恢复"缺失的中层"对西方宣教士是必要的？

2. 哪一种训练能够将有关"中层"更整全的观点，更好地植入西方人的世界观？

3. 作者警告提防两个危险，是指什么？然后他提出了以神和祂作工为中心的第三种世界观。作者提出一个问题："这一切对宣教有什么意义？"你如何回答？

# 第66章　单调抑或多彩？
## ——福音、全球化和民族性

米利暗·阿德尼（Miriam Adeney）

作者现任西雅图太平洋大学教授。自2002年起，她先后在亚洲、非洲、欧洲、中东以及北美十四个国家教授短期课程。她是一名有关全球议题的杰出讲员，在北美许多神学院和基督教大学都举办过这方面的研讨会。本文摘自 *One World or Many? The Impact of Globalization on Mission*, Richard Tiplady 编辑（2003年）。版权使用承蒙克里威廉图书馆许可。

伊莎贝尔·伊蒂丝（Isabell Ides）于2001年六月份去世，享寿一〇一岁。她是以猎鲸为业的马卡族（Makah）印第安人，住在美国最西北角、最偏远那条路尽头的一栋房子。伊莎贝尔远近闻名，因为她热爱并传授马卡文化和语言，她亲手指导几百人编织篮子，向好几代人亲口传授他们的语言。年轻的妈妈们经常把自己用桤木熏的鲑鱼带到她那里，她只消嚼一小口，就能告诉她们熏鱼的木头是否过于干燥；考古学家把刚刚出土、有三千年历史的篮子带来，她可以立即鉴定出篮子的类型、编织方法及其用途。一位考古学家在她的葬礼上说："失去她就像失去了一座图书馆"。

伊莎贝尔也在印第安保留地的神召会教会里教导主日学，她把长寿归因于自己的基督教信仰。

伊莎贝尔的编篮技艺和她的主日学教导，孰重孰轻？在神国度的大图景中，她的民族遗产有多重要呢？当我们探究全球化的时候，这个问题不断地回荡在我们的脑海中。[1]

## 创造性破坏

2001年春，三十四个国家的代表聚集在加拿大的魁北克省，讨论涵盖整个美洲的自由贸易协定。有很多事情令人担心：在美国或加拿大与洪都拉斯或玻利维亚之间，在这个星球上最富有的国家和最贫穷的国家之间，如何能够有公平的竞争机会呢？小的国家会不会被吞并？甚至拉丁美洲最大的经济体巴西，都变得不安了。

在深入的讨论中，美国联邦经济委员会主席艾伦·格林斯潘（Alan Greenspan）随口抛出了"创造性破坏"（creative destruction）一语。他说，进一步开放全球贸易确实将带来某种程度的"创造性破坏"，企业会关闭，许多人要失去工作。格林斯潘说："不断增长的贸易是向新的高科技经济转型不可或缺的一部分。毫无疑问，转

型对于我们大部分的劳动力来说是很艰难的……这个调整的过程要裁减多余的现存劳动力，尽管裁员的主要原因并不是由于他们自己的过错。"（转引自 2001 年《工人》〔Workers〕）但这样的痛苦是发展需要付出的代价。常言道，有失才有得，要炒鸡蛋，就得先打破鸡蛋；要栽培花木，就得修剪；要使用电脑，就难免不时地按删除键；要训练成为运动员，就得去掉坏习惯。抛光、打磨、淘汰、削减——这些都成为积极的用语。故此格林斯潘谈到全球化所固有的 "创造性破坏"。但是，他补充说："历史告诉我们，要阻止改革，不但不明智，也是不可能的。"

民族性就是其中会遭受破坏的范畴。在今天的全球体系里，本地的民族价值观正在遭到践踏；文化价值观不是可以买卖的商品，而是民族遗产的一部分，不能用金钱来衡量！然而，像濒临灭绝的物种一样，文化价值观正受到威胁；面临全球化对民族特色的扼杀，我们应该如何回应呢？

## 占一席之地

神怎么看民族性呢？神按他的形象创造了我们，赋予我们创造力，并且把我们安置在一个充满机会和挑战的世界里。人类在世界上发展出各式各样丰富多彩的文化，充分地应用神所赐的创造力。

起初，神认定人独居不好，人受造就是要生活在有意义的社群之中。所以，神赐福给各个文化领域，例如家庭、国家、工作、敬拜、艺术、教育，甚至节庆。祂关注法律，因为法律能保持生态平衡，维持有序的社会关系，为环境卫生提供法律依据，并且保护弱者、盲人、聋人、寡妇、孤儿、寄居者、穷人和欠债者的权益。

祂肯定有形的世界，各种物质文明从中发展而出。祂喜悦赐给祂子民的土地和河流，"就是耶和华你的神眷顾的地；从岁首到年终，耶和华你的神的眼目常常眷顾这地。"（申 11:12）神知道万物能使祂的子民欢愉，于是把他们放在：

● 美地，那地有河流、有泉、有源，水从谷中和山上流出来；
● 那地有小麦、大麦、葡萄树、无花果树、石榴树；
● 那地有橄榄树、油和蜜；
● 你在那地必不缺乏食物，在那里你必一无所缺；
● 那地的石头就是铁；从那里的山上，你可以挖出铜来。

（申 8:7-9）

在旧约如诗如画的语言中，神赐人以油，使他们的脸发光；赐人以酒，使他们的心欢畅；赐人朋友，像铁来打磨他们；赐人妻子，像多结果子的葡萄树；赐人儿女，像从弓射出的箭。经济、社会和艺术模式结合起来就构成了文化，我们就生活在这样的环境中，是为我们的生活所设计好的地方。全球体系可能使我们深陷于虚拟的现实中，无论是媒体、被包装的音乐、股票市场、比赛成绩，还是新闻快报——把人间悲剧和啤酒广告掺和在一起，真够讽刺。我们若果真全神贯注于全球或虚拟的层面，那就错失自然界和社会的真正规律了！播种的时期、收获，土壤、树木和水的安全健康；交友、恋爱、结婚、生养儿女、年老和死亡；创造、使用、保养和修补。在神的世界里，生活是有节奏的，这些节奏透过各地具体的文化模式表达出来。明白这一点有助于我们认识自我、自己的潜力以及局限性，并且使我们能够正确选择幸福生活所需的资源和顺序；这些无法从抽象、全球化的层面去认识。例如，管教孩子不是虚构的故事，解职不是网上的经历，生小孩不是玩游戏，与癌症抗争也不是一个抽象的概念。

当我在菲律宾生活的时候，我看到当地人家庭稳固，热情好客；他们在孩子身上花大量的时间，拥有持久的友谊；在传统上就给女人经济自由；能以很少的钱过舒适的生活；他们会把一小块肉磨碎，做成酱汁给多人分享；善于放松，身体柔软灵活；他们能够与众人长期融洽相处，并

乐在其中。因为各样美好的赏赐都是从上面来的（雅1:17），同时一切智慧和知识的宝库都蕴藏在基督里面（西2:3），菲律宾人文化中如此美好的特征，应被视作是神的礼物。我们的创造主喜欢丰富多彩：祂造了气味，无论是洋葱还是玫瑰，不一而足；祂为每一片飘落的雪花设计形状；祂使几十亿独特的人出生到世上；祂给我们能力，以创造出千千万万奇妙的文化，使这世界更显丰富，又将这样的能力深植我们当中，当然就不足为奇了！

接下来的部分要讨论另一方面。文化包含罪，我们必须加以判断。不过，民族自豪感并非一定是罪，大概就像父母在自己孩子的毕业典礼上那种喜悦的感觉；看到孩子列队经过前台，你的胸口激荡着骄傲。这种自豪并不是以牺牲你的邻居为代价，因为他的脸也同样因自己孩子的毕业而容光焕发。你心里汹涌澎湃，乃是因为

*很：比较失的自豪*

## 附篇 66-1　民族价值观遭到践踏

桑贝内·乌斯曼（Sembene Ousmane）

我是一家之长，我想举自己和其他像我一样的人的例子来说明：对我们的孩子而言，我们不再是活生生的榜样和典范了。电影、电视、视频等成了传播新文化和新价值观的管道。我们这老一辈的人，却在自己的家中缺席了。我生于殖民时期，亲眼目睹父亲为了生存而不得不低三下四，忍受羞辱。但是一到傍晚，当大家回到自己的小草屋里，我们又重新找到了自己的文化。我们的文化就是避难所，使我们恢复自我，自由自在。如今，电视机就放在小茅屋里面；昔日，这里是父亲、母亲和姑姑的天地，祖母在这里讲述她的故事和传奇给大家听。但现在，即使是那样的时光也从我们当中被夺走了，徒留一个益加贫瘠、毫无创造力的社会，我们也就越来越被其他社会创造的价值观所影响。

本文摘自 Firinne Ni Chreachain 所著 If I Were a Woman, I'd Never Marry an African。*African Affairs* vol. 91, p. 244.

你了解自己孩子所经历的一切；你知道他经历过的悲伤，你也深晓他身上展露出来的恩赐，仿佛阳光下盛开的花朵。你曾经为孩子哭过笑过，倾注了多年的心血，参与过这些故事的点滴。

民族性充其量是这种合理的家庭自豪感的延伸。民族性是与同一文化和历史的人们有共鸣感，与该民族的苦难和成功、英雄和烈士有共鸣。像作为家庭一分子一样，民族性不是后天获得，而是与生俱有的权利，不管你喜不喜欢。

人类受造就是要在群体中生活，即便在今天的世界，我们仍然感觉到有这种需要。人类学家柯利弗德·格尔茨（Clifford Geertz, 1964，页70）说："即使我们的物质需要得到了满足，但我们的动机……情绪适应能力……和道德力量都必须源于某处，源于某个共同的目标愿景，而这个共同的目标则扎根于一个鲜明

的社会现实图景。" 格尔茨说，世界公民的概念过于模糊，不能给人提供这种动机和力量，世界公民的身分让普通人感到没有价值，即使是国家公民的身分都可能使人无动于衷；可是，你所属的民族不同，有给你带来欢乐的节庆，给予你认知体系的价值观，引导你日常生活的行为模式，让你在泛泛人类环境中的社交关系有所归属。你在宇宙的时空中有一席之地，确信自己在从过往流到将来的长河之中有一个依附。你自己就在这个故事里头！

## 若是高举民族性

神命定了文化，但环顾四周，我们看到文化习俗并不全都荣耀神。经常映入我们眼帘的不都是美好的事物、和谐的创造、令人钦羡的权威，而是由我们的文化酝酿出来的分裂、疏离、欲望、腐败、自

---

**附篇**
**66-2　受造的使命：创造文化**

埃里克·萨尔（Erich Sauer）

神对亚当说的话，表明神要求人类在文化上稳步进取。文化成就非但与神毫不冲突，还是人类本质上高贵的特质，因为这一特质人类在乐园中早已有之。发明与发现、科学与艺术、高尚与高贵……简言之，人类心智的进步自始至终都是神的旨意。这些都代表尊贵的人类正逐步得地球为业，执行所托付的使命。人类拥有权威的地位，奉神之命去管理其他受造物……神期望他们发现地球、空气和海洋的潜能，利用自然及其资源……从中我们已能一窥科学探索的身影，以了解和划分自然世界。农业、技艺、工业、手工业和艺术，都是神给人类极其繁多的活动神圣的特许状。按照基督教教义，这些都是神所赐丰富人类生活的礼物。

本文摘自 *The King of the Earth: The Nobility of Man According to the Bible and Science*（Grand Rapids: Eerdmans, 1962）。

私、不公和暴力。没有一个部分洁白无瑕：科学可能服务军国主义或享乐主义，漠视道德；艺术往往沦为偶像崇拜；大众媒体充满了污言秽语；商人做见不得人的交易；政客中饱私囊；工人粗制滥造；丈夫欺骗妻子；妻子控制丈夫；孩子不孝敬父母。

我们虽然是按照神的形象被造的，但同时也是罪人；因为我们已经与神隔绝了，结果我们所创造出来的文化沾满了罪恶。因而，我们蒙召，不但要因我们文化中的智慧、美丽和仁慈的模式而感到欣喜，同时还要正视和批判文化中偶像崇拜和剥削的模式。

有时，民族性变成了偶像，像诸如金钱、性、权力等现代社会的其他偶像一样，不是民族性本身不好。若我们视民族性为至高，那么民族性就变成了祸害，导致种族主义、世代冤仇、战争，甚至"种族清洗"。民族性一旦变成偶像，我们就必须加以对抗和批判。

# 民族性在宣教上的含义

民族性与全球化是相悖的，因为全球化有抹杀人性的倾向。经济全球化充其量将文化价值观视为商品，民族性则提醒我们要忠于我们的前辈和周遭的人类社群，有至关重要的抗衡力。我们将从四个方面的应用来看民族性对宣教的意义：

## 1. 肯定当地文化

首先，宣教应该肯定当地文化，但不是全盘肯定。在与当地的基督徒同工，或由他们带领工作时，我们要评析哪些

模式属于偶像崇拜和剥削，个中理由前面已经阐述。只是我们要爱当地的文化，接受它，视之为神的礼物；若要生活在当中，就更需乐于适应当地文化中健康的价值观。

我们也要讲当地的语言。基督徒无论去到哪里，都把圣经翻译成当地的语言，拉闵·山奈（Lamin Sanneh）注意到这一点。他是一名穆斯林背景的基督徒，是耶鲁大学历史系的教授。穆斯林坚持要求人们学习阿拉伯语，因为它是神的语言。但基督徒的看法则是：神讲你们的语言。

我们造访当地商家，鼓励当地的艺术家、音乐家和作家创作自己的作品，而不要老是进口或者翻译国外的书籍。我们在当地人开的旅馆或当地人的家里住宿，向当地的草药医生学习知识，保护当地的森林，学习当地的体育运动和游戏技巧，尽量参加当地人的聚会和葬礼，同情当地的社会改革者。如果我们是宣教士，那就更得要训练我们的心思，不要念念不忘自己家乡的文化。特殊的传统非常重要！连二十世纪史诗式著作《魔戒》（〔*The Lord of the Rings*〕Tolkien，1954）也肯定当地的文化。专栏作家迈克·希克森（Mike Hickerson，2002）评论说：

> 《魔戒》暗示，只有在胜利充满"各个小地方"之后，神在地上（或中土世界）的胜利才会完全……善与恶之间的最后一搏并不是诸如死星被毁灭那样的历史大战；而是小小的战斗，之后则对小地方略加重建。好消息传遍各个山谷……哈比人回到夏尔国之后，他们继续自己的使命，一直

到最终优美的结束。如果没有他们在自己卑微的民众中间谦卑地作工，邪恶势力可能还会在中土世界保有据点。全球固然重要，当地也不容忽视。

训练宣教士时必须强调这一点。来自主流文化的宣教士，往往会坚持自己的民族传统，似乎他们的传统是神给每个人的模式。西方宣教士如此，中国和韩国的宣教士在中亚和东南亚如此，拉丁美洲人在土著社区中也是如此。

即使是在一个国家的内部，从主体民族来的宣教士，也可能对少数民族的文化缺乏尊重，在有意或无意间看不起人家。我今天早上就收到这样一封电子邮件邀请函。上面说：

> 你来之后，是否可以主持一个关于文化神学的专题讨论会？我们国家有如此多不同的民族，但民族偏见之深令人震惊。我们需要某个民族群体的人，与其他不同民族群体的人一起在村里工作；可是这些人只喜欢和同民族的人一起工作，千方百计找借口避免与其他民族的人同工。

纵观历史，有些宣教士把自己的传统等同于神所偏爱的方式。扮演"事后诸葛"来批评他们很容易，但我们也不能随便摒弃他们。早期的宣教士在文化方面的神学上可能有不足之处，但所做的工作往往都非常扎实。他们学习当地的语言，是早期人类学家文化资讯的主要来源；当时没有飞行的便利，却在当地发生战争、流行病、干旱和洪水时仍然坚守阵地，甚至妻儿客死他乡，葬在那里。

相比之下，今天的宣教士爱把处境化挂在嘴边，但我们是否真的花时间付诸实践了呢？而耶稣却足足用了三十三年的时间，深入到一个地方文化中。

## 2. 我们是天路客

很多人有多重民族身分。试想这个情景：在美国西海岸，早几代的亚裔人法律禁止与白人结婚，所以有不少菲律宾移民与印第安人结婚。想像一下今天这种家庭中的三个成年子女的状况：第一个称自己为菲律宾人，第二个称自己为印第安人，第三个则称自己为美国人。但是他们三个子女还是会不时地变换身分。

此外，文化不停地在改变，新的身分组合会不断出现。这个星期，享有盛名的陆荣昌亚洲博物馆（Wing Luke Museum）在我的家乡华盛顿州西雅图市重新开放了；据报导，这是美国唯一的一间关于泛亚太裔美国人的博物馆。亚太裔美国人是什么意思呢？据杰克·布鲁姆（Jack Broom）在《西雅图时报》（Seattle Times）中说，"亚太裔美国人不是一个种族、民族或国家，而是指人口统计调查中的一个类别。在历史上，它是对来自四十多个国家的人的总称。这些国家占全世界的一大片地区，其范围从太平洋塔希提岛到巴基斯坦，从日本到印尼，从夏威夷到印度。"（2008，A16版）

我所在的这个县，14%的人口是亚太裔美国人。尽管《西雅图时报》没有声明，但这是一个重要的民族类别，是一个有足够特色的大群体，完全有理由为此建

> **在任何时候，我们都要尊重人们对自己身分的认同，这一点很重要，虽然这样做可能会搅乱我们关于族群的分类和整理。**

立具规模的博物馆。这个类别足以成为在民族身分的分类体系中的一层！《西雅图时报》的文章继续指出，如此高的人口比例"反映了本县在美国西北部太平洋沿岸地区，是移民首选的落脚地"。

多重身分并非罕见。从1980年至1990年，美国讲西班牙语的人口增长了50%，目前占纽约市人口的30%，他们中的大多数人也讲英语。同样在这十年里，美国讲中文的人口增加了98%，这些人当中大多数都讲英语，但在家里，五分之四的人更喜欢用中文。

民族的核心在于自我归属感，就是人们认为自己是共同文化、共同社群以及共同遗产的一分子。在多民族的社会里，你可能看不到那些父母来自不同国家的人，在经济、社会和世界观等模式上有明显的区别。他们可能到相同的商店购物，拿相同的体育事件开玩笑。

重要的不是可见的差异有多大，而是与各具特色的社群的认同有多深！拿历史来说，这就是一个民族的私有财产；犹太人有他们的历史，华人有他们的历史，非

## 在教会之间建立多民族桥梁的十种方式

1. **欢迎**：如果有其他文化的人想加入我们的教会，我们应表示欢迎，而且帮助他们创造适当的条件，可以用自己熟悉的方式敬拜神。
2. **教导**：我们必须反覆地教导，圣经中关于合一性和创造性这两方面的真理。
3. **祷告**：我们要不分民族、族裔，常常一起祷告。
4. **布道**：我们要一起来做与文化适切的福音工作。
5. **培养**：我们要与社区中的民族教会合作，培养年轻人，鼓励他们以保有自己文化传统而感自豪。
6. **悔改**：我们应为自己曾以霸权控制或忽略另一方的行为悔改，也必须为自己多少曾怨恨或依赖其他人的行为悔改。
7. **联系**：我们应该委派一位"文化联系的中间人"，使我们的教会与社群中其他文化传统的教会相互联系，督促我们教会成员维持这种关系是有深度和实质的。
8. **投资**：我们还要无私地投入时间和金钱，甘冒风险付出情感，以建立牢固的伙伴关系和交流模式。
9. **培训**：我们必须同心开展适切文化的领袖培训，并印制合用的材料。
10. **学习**：我们要乐于相互学习，相信神可以透过与我们完全不同的人向我们说话。

裔美国人有他们的历史。没有人能把这些从他们当中夺走，这是他们的共同遗产！当历史涉及到苦难，英雄从苦难中崛起时，由此形成的群体互依关系往往会更加牢固。

传统很重要，而许多人有多重传统，处在身分认同这条轴线的各种点上。相同祖先的后人，甚至连兄弟姐妹，都可能会有不同的身分认同。有些人可以平衡几种身分，有些人可能没有明说，甚至也不曾有意识地思考过。然而，他们知道什么时候感到不自然，什么时候感到被勉强归入不合适的人群里，或是进入了不适合的圈子中。在任何时候，我们都要尊重人们对自己身分的认同，这一点很重要，虽然这样做可能会搅乱我们关于族群的分类和整理。

难民的身分呢？不同族裔的混血儿呢？纳瓦霍（Navajo）印第安人想弄明白自己的老家究竟是印第安保留地、还是已经变为城市了，怎么办？那些四海为家的人，或是国际化的年轻人呢？他们购买、穿戴来自各地的衣物，阅读、收听和观看来自各地的媒体。那么，他们属于哪一个族群呢？难道他们注定生来就是世界村的游民吗？

无论他们在哪里，福音都可以给他们一个家。神不把我们模式化，我们都带着自己多个和重迭的身分，有自己独特的天路历程，还有自己的怪癖喜好。但神按着我们的本相，以独一无二的方式带领我们。神并不把我们装入小笼子里，不管我们是永久地失去了我们的社群，还是暂时漂泊，或是将几个传统中的零星部分拼凑起来，神都欢迎我们成为祂的子民。

福音为我们提供了一个超越这个世界结构的家！

本地方文化是神的礼物，但这绝对不够。确实，我们当像耶利米那样，为我们所在的地方 "求那城的好处"（耶29:7，NASB直译）。但是，我们更要效法亚伯拉罕，知道这世界不是我们最后安息的地方。我们要继续走天路，寻找 "神所设计所建造" 的城（来11:8-11，KJV直译）。

## 3. 架起连接桥梁

1964年，十四岁的希亚（Zia）进入阿富汗的一所盲人学校上学，在那里他信主了，非常喜乐。之后几年，他学习讲达利语、普什图语、阿拉伯语、英语、德语、俄语和乌尔都语，并且学习阅读这些语言的盲文书籍。在苏联侵占阿富汗期间，当局让希亚负责盲人学校。后来，希亚因为不愿意加入共产党而被关进监狱。然后，他乔扮成瞎眼乞丐逃到了巴基斯坦；其实，他就是真的乞丐！

在巴基斯坦，希亚因为参与旧约圣经翻译而获得奖学金，得以去美国学习希伯来语，但他婉拒了这个机会。为什么呢？因为他在当地的事奉太忙，不能离开；他觉得自己抽不出时间来学习希伯来语，但是为了能向巴基斯坦人传福音，他学了乌尔都语，这是他的第七种语言！可是最后，他为主殉道了。

希亚是过去几个世纪以来几百万基督徒见证人的代表，他们发现福音使我们与地球上的每一个角落连接起来。我们从某个地方开始，但并不停留于此。

当今世界非常需要像希亚这样的人。经济和技术的全球化仅仅使我们有肤浅的联系，而我们的社会迫切需要能够带来更深连接的人。托玛斯·弗里德曼（Thomas Friedman，1999）在其颇有影响的《了解全球化：凌志汽车与橄榄树》（*The Lexus and the Olive Tree*）一书中探讨了这个想法；他以雷克萨斯（又译：凌志汽车）代表全球经济，橄榄树代表地方传统。柯利弗德·格尔茨（1973）论及时代主义和本质主义之间的张力，如何融入当今时代的需要，与保持并意识我们的本质身分之间的矛盾。曼纽尔·卡斯特勒（Manuel Castells，1996）在《网路社会的崛起》（*The Rise of the Networked Society*）一书中论到，虽然全球网路化意味着力量的整合，但它只是发生在越来越脱离我们个人生活的层面上；他称这种情况为"结构性精神分裂症"，并且警告说："除非我们有意识地建立文化、政治和物理之间的桥梁……否则，我们的社会将被割裂成多个平行世界，这些世界之间的时间没有交集。"

谁能建立桥梁呢？什么样的力量能跨越国家、种族、性别、族群、富人和穷人、文盲和博士之间的鸿沟呢？几乎没有任何群体比普世教会更适合促进文化之间的连接。

当社会关系破裂时，往往是基督徒能够带领社会跨越和解之桥，伸出手来与另一边的弟兄姊妹紧紧相握。我们的忠诚不要止步于自己的文化界线，我们是天路客，可以全然走进对方的领地！事实上，这一直是基督徒的使命——亚伯拉罕蒙召成为地上万族的祝福（创12:1-3）；大卫歌颂："神啊，愿**万民**都称谢祢"（诗67:3, 5）；保罗向未得之民传福音的感动鼓舞着他（罗15:20-21）；约翰在异象中惊见在末日的时候，各族、各方、各民、各国都要聚集在神的宝座前（启四～五章），为此俯伏敬拜！

建立跨文化的连接，从一开始就是神给我们的命令。我们随着全球化前行，并不是为了经济目的，而是受感于神对世人的爱；我们不能作孤立主义者，满足于自己的小圈子，神的爱驱使我们跨出边界。在有冲突的地方，我们要站出来成为和平之子；在福音未知之处，我们要走进去作见证。全球化的连接也使我们可以走出去，比以前更迅速、更全面地，在世界各地服事耶稣基督的教会。

多给谁，就向谁多取。我们在架设连接的桥梁吗？

## 4. 培育民族教会

最后，我们必须来思考自己社群中各种民族教会的问题。有人质疑道："如果说每个礼拜日上午十一点钟是全美国各个群体隔离最厉害的时候，那么民族教会难道不是种族主义的元凶吗？不可否认，他们促进了福音的传播和团契，但不能因为部分的成功，就予以全盘肯定。要知道，魔鬼也取得许多成功啊！"[2]

如何回答这个问题呢？在本章里，我们已经奠定了论证的基础，民族教会的合理性不仅出于实用（的确很有果效），更是因为基于神的创造。人类照着神的形象受造，表达神赐的创造力，因此发展出了不同的文化。这些文化相互补充美丽和真理，也同时显出各自罪恶的一面。

每间教会都当向各个种族和文化的人敞开，有些人在多元文化的教会里如鱼得

> 这样，有民族或族群特色的教会就具有重大价值。教会有某个文化范围内的民族、族群，就像一幅拼图，或似万花筒，使神的世界变得丰富多彩。

水、苗壮成长，但有些人非常珍视他们自己的传统；对这样的人，文化认同在敬拜中显然很重要。他们用自己的心灵语言祷告，或呼喊或俯伏，连祷告的姿势也有他们特殊的意义；文化会影响他们做事的方式，包括传福音、门徒培训、圣经教导、管理、咨询、财务、青年事工、领袖培训、属灵操练、课程编辑、慈惠救济、社区发展，还有目标宣导等等。在他们文化中的神学家，其见解可以帮助其他文化的人以不同的角度理解圣经。

把会众分开并没有错，缺乏爱心才是错的。如果一个教会中，大部分信徒来自权力阶层顶端，缺乏爱心往往是司空见惯的现象。其实在财富和权力上具有优势的教会，确实当有特别的义务。如果我们的弟兄姊妹缺乏卫生保健、好的学校或安全的街道，或几乎没有母语的圣经注释书籍，或没有经费供应他们的牧师去圣经学校学习；那么我们不能只是一笑置之，袖手旁观，像使徒雅各所说的一样：

我的弟兄们，人若说他有信心，却没有行为，有什么益处呢？这信心能救他吗？如果有弟兄或姊妹缺少衣食，而你们中间有人对他们说："平平安安地去吧！愿你们穿得暖，吃得饱。"却不给他们身体所需用的，那有什么用处呢？（雅 2:14-16）

这样，有民族或族群特色的教会就具有重大价值。教会有某个文化范围内的民族、族群，就像一幅拼图，或似万花筒，使神的世界变得丰富多彩。正如稳固而健康的家庭是稳固而健康的社群的基本单元，稳固的民族特色教会是稳固的多文化团契的基本组成部分；只有当我们在自己的地方学会负责与合作，我们才能准备好在更大的范围内负起责任、与人合作。

民族教会可以说是推动普世宣教事工的起点。我们可与那些生活在我们城市里的各国基督徒配搭，无论他们是学生、商人、临时访问者、难民或移民。许多人在某种程度上代表"未得之民"，很多人定期返回自己的家乡帮忙挖水井、建立诊所，在圣经学校授课，提供赞美诗集和培训教材等等。我们可以与他们一起祷告，帮助他们成长，成为基督的门徒，与他们协力将福音传给他们的族群。

我们把民族性、民族特色当作神赐下的珍贵礼物，而不特别高举奉为偶像，那么，神的世界就会得到祝福，从而预尝天堂的喜乐。就让这异象时时摆在我们眼前吧！

## 附注

1. 民族性是什么？民族性最根本的标准，就是人自认为归属某个共用文化；其他的归属会限制这一归属，但属于次要的标准。民族身分的要素可能会包括以下因素：祖先居住的土地（无论今天这个群体的成员是否居住其中）、祖先的语言（无论今天这个群体的成员是否仍然使用这个语言）、共同的历史（尤其是这段历史关系到群体遭受的苦难和英雄人物）、食物、幽默、亲戚之间合宜的行为举止。实际共有的独特之处可能只有些微，但自我的归类才是最重要的决定因素。某个特定的民族性的含义其实不断在重新塑造。有关民族性更为全面的讨论，见 Williams (2001)。

2. 有关反对民族教会的观点，见 Padilla (1983)。

## 参考资料

Broom, J. (2008, May). *"A New Wing Luke." Seattle Times*, p. A16.

Castells, M. (1996). *The Rise of the Networked Society*. London, UK: Blackwell Publishers.

Friedman, T. L. (1999). *The Lexus and the Olive Tree*. New York, NY: Farrar, Straus, Giroux.（中文译本：汤玛斯·佛德曼著。《了解全球化：凌志汽车与橄榄树》。台湾：联经，2000）

Geertz, C. (1964). "Ideology as a Cultural System." In D. Apter (Ed.), *Ideology and Discontent* (pp. 47-56). New York, NY: Macmillan Publishing Company.

Hickerson, M. (2002, Winter). Editor's note. *Et Cetera: Newsletter of Regent College Students*. Vancouver, British Columbia, Canada.

Padilla, R. (1983). "The Unity of the Church and the Homogenous Unit Principle." In W. Shenk (Ed.), *Exploring Church Growth*. Grand Rapids, MI: Wm. B. Eerdmans Publishing Company.

Robert, D. (2002, April). "The First Globalization: The Internationalization of the Protestant Missionary Movement Between the Wars." *International Bulletin of Missionary Research*, 26:2, pp. 50-66.

Williams, D. (2001). *Castrating Culture: A Christian Perspective on Ethnic Identity From the Margins*. Cumbria, UK: Paternoster Press.

## 研习问题

1. 作者如何描述民族性的价值？

2. 什么时候民族性会成为偶像？我们当如何敌挡？

3. 作者论及宣教以哪四种方式来应对"全球化抹杀人性的倾向"？

# 第67章  干净与肮脏?
## ——对印度文化的误解

何保罗 (Paul G. Hiebert)

作者曾任三一福音神学院 (Trinity Evangelical Divinity School) 宣教和布道系主任以及人类学和宣教学教授，之前曾在富勒宣教学院教授人类学和南亚研究。他曾在印度宣教，与妻子弗朗西丝合著了十本书，其代表作有《文化人类学》(Cultural Anthropology)、《宣教士的人类学心得》(Anthropological Insights for Missionaries)，以及Case Studies in Mission。本文摘自Clean and Dirty: Cross-Cultural Misunderstandings in India, Evangelical Missions Quarterly, 44:1 (January 2008)，由EMIS出版。

在我第一次的跨文化体验中，印象最深刻的莫过于对"肮脏"和"干净"的感受。我们才刚踏上印度的土地，那巨大的差异感就扑面而至。一上街，声色并茂的事物让我们眼花撩乱。到处都是寺庙、人群、鲜艳抢眼的颜色、播放中的电影，还有从高音喇叭里传出的刺耳音乐声，以及穆斯林呼召人们去祷告的声音。空气中飘着各样气味，有香水、燃烧的香、食物、牛粪和人粪的臭味。这一切使我们感到不知所措，但是，最吸引我们注意力的却是秽物。

对许多美国人来说，印度给他们的第一印象是肮脏：路旁腐烂的垃圾、挂在树枝上的塑胶袋、臭气熏天的开放式下水道、马路上的粪便。交通状况也是一片混乱，卡车、公共汽车、蒸汽压路机、拖拉机、汽车、电动三轮车、自行车、牛车、人、奶牛、水牛、绵羊以及流浪狗争相抢道，到处都尘土飞扬，显然没什么"交通规则"可言，四处都是令人震惊的混乱。这里的生活杂乱无章，不受控制，又很肮脏。

印度人也有他们对美国和美国人的第一印象。美国公共场所的干净令他们惊叹，在美国，他们看到修剪整齐的草坪、粉刷一新的建筑物、干净整洁的街道、隐蔽在地面下的下水道；人们开着光亮、完好的汽车，在标记清楚的车道内行使，在红灯前停车，等迎面开来的车过去之后再拐弯。然而，对美国人肮脏的个人习惯，印度人也很吃惊：在公共学校、商店、电影院和公共汽车上，美国人穿着破旧、肮脏的牛仔裤，什么都遮不住的超短裤，放满广告的T恤，以及破损的网球鞋……这不是只有乞丐才会穿的衣服吗？还有，为什么美国的女人穿的衣服像男人一样色彩单调？他们进屋不脱鞋，甚至连在教会（进到神的面前）也是如此。奇怪，他们分明买得起体面的衣服，为什么他们照顾街道、草坪和汽车，比照顾自己还要好呢？

美国人使用进过别人嘴里的叉子和汤匙吃饭，不洗手就拿东西吃，用右手如厕，用纸擦屁股；印度人用手指吃饭，他们的手指没有进过别人的嘴，并且只用右手，因为左手是专门用来干脏活儿的。美国人吃肉，尤其是牛肉，这不但玷污了他们，还造成身上明显的体味，素食主义者一下子就可以闻得出来。他们问候时彼此肢体接触，不就让自己被那些在礼仪上比他们不洁的人玷污了吗？

访问印度的美国人在经历了最初的震惊之后，一定会停下来想想所经历的，他们对这些矛盾的事情感到不解，想要探个究竟。印度文化比其他任何文化都更看重有关洁净和玷污的信念，这些根深蒂固的信念触及到生活的每个领域。印度也许因其公共场所的肮脏出了名，但印度人对个人的清洁却非常讲究：男人离开小屋外出时，会穿上最好的衬衣和裤子，系上领带，都是洗干净和熨烫过的，他们的皮鞋擦得光亮；女人则穿色彩鲜艳、干净整洁，且富有女人味的服装，她们自己骑摩托车，或是侧身坐在丈夫的摩托车后面，身上的真丝围巾和纱丽肩带随风飘扬。

印度的餐厅设有公共水池，供人们在吃饭前洗手。他们每天都把房子打扫得干干净净，在门口的外面覆盖上一层新鲜的泥土和牛粪，以保持通道干净；印度人的庭院有花卉装饰，并有白色粉末描绘的图案。人们刷牙和梳理头发几乎到了过分的地步，连在公共场合也这么做，为的是要让人们看到他们如何注重个人清洁和公众尊严。

印度对洁净的追求和对污染的厌恶，在概念上远比表面能够被洗掉的脏污强烈得多，人们还担心深层的、内在的污染和自我的玷污。清理垃圾、鞣制皮革、埋葬死人以及会接触到各种尸体的剪毛工作是最玷污人的；洗衣服、打扫房子，以及清扫庭院和街道也有污染性，因为从事这些工作的人必须处理垃圾。这种以种姓为基础的污秽是永久和世袭的，由父母传给孩子。一个人若要脱离这种污染，他唯一的盼望就是在来世生为纯婆罗门或是其他高种姓的人。

一个人也可能因为接触被污染的东西而受到污染。高种姓的人如果接触了低种姓的人，他们就玷污了自己；为了洗清这种污染，这些高种姓的人必须经过一个冗长的洁净仪式来清洁自己内在的污秽。因此，正如我们见面会握手问候，他们也有自己问候的仪式，只是不需要彼此接触；不同种姓的人之间的性关系和婚姻非常污秽，这种结合所生出的孩子尤其如此。

美国人去印度时，需要学习去了解印度人如何看待洁净和污秽，并要重新审视自己关于"干净"和"肮脏"的观念。请记住，印度是因其个人的清洁和公共场所的肮脏而著名，而美国则是因其公共场所的清洁和个人的肮脏而闻名。

我们应当避免论断印度人的信念，反而要在福音的光照下，检视我们自己的信仰和印度人的信仰。对于跨文化的初习者，我们去到像印度这样的地方，必须避免因不够敏锐而触犯了文化上的禁忌。以下是几个初步的建议：

### 1.穿着得体

男士们，把你们的牛仔裤、旧的T恤和斑驳的网球鞋留在家里；女士们，不要穿短裤和短裙。在公共场合穿这些衣服会侮辱接待你们的主人，让他们在同伴中丢脸。请记住，当你为自己而穿衣服的时

候，你可以为了舒服而穿得随便；可是你若为了尊重别人而穿衣服，就要穿得整齐像样。外出到公共场合，穿上盛装表示你对主人的尊重，特别是去教会的时候要穿得正式，这是你尊荣神的标记。

## 2.注意公共卫生

在公共场合表现出你很讲究卫生。到饭店吃饭，饭前要先到水池洗手，饭后要当众刷牙。特别注意，不要用左手动食物，这在当地人看来是很肮脏的动作。

## 3.梳理头发

头发要梳理整齐，蓬头乱发被视为个人习惯不洁的标记。

## 4.注意饮食

别在公共场合吃肉，特别是牛肉。

总之，最重要的是要向接待你的主人学习。刚开始，他们可能不好批评你，但建立了信任感之后，要向他们请教，帮助你不论走到印度哪里，村庄或城市，都成为人们眼中干净并值得尊重的人。

# Part 2
# 文化与沟通

# 第68章　文化在沟通中的角色

贺色格芮夫（David J. Hesselgrave）

作者是伊利诺伊州迪尔菲尔德三一神学院普世宣教和布道系荣休教授，也是福音派宣教学协会（Evangelical Missiological Society）的创始人以及前主任，并受播道会（evangelical free church）差派在日本服事了十二年。其著作有 *Planting Churches Cross-Culturally*、*Scripture and Strategy* 以及 *Paradigms in Conflict* 等。本文摘自 *Communicating Christ Cross-Culturally*（1978）。版权承蒙美国 Zondervan Publishing 出版社许可使用。

历史上曾有很长一段时间，各地域的人类之间最难以逾越的障碍主要是地理性的，旅客、物资和信息的运送需要越过变化莫测的大海、巍峨高耸的群山和茫茫无际的沙漠。宣教士都非常清楚这些挑战多么令人畏惧！今天，因着大型喷气式飞机、远洋巨轮和高耸入云的天线，这些问题基本上得到解决，我们几乎可以在几个小时之内把人、圣经或缝纫机输送到地球上的任何一个角落，电子资讯更是在眨眼之间就能传送到。

然而，我们面临一个致命的危险。随着技术的进步，我们已经能够轻而易举、更加频繁地跨越地理和国家的界限；但是可能会因此忘记，文化的障碍才是最难以逾越的。其中技术的进步与沟通技巧之间的差距，恐怕是现代文明最具挑战性的领域。西方的外交官已经意识到，他们需要的远不只是找个熟悉自己信息、能干的翻译或能讲英语的当地人；很多教育学家也发现，对这个新世界的公民来说，跨文化沟通必不可少。宣教士现在明白，穿透文化的障碍，远非只是使用麦克风和提高音量就行。

## 复杂的任务

不幸的是，文化之间的沟通，其复杂的程度就像人类个体差异加起来的总和。"文化"一词是一个包罗万象的用语，将语言、政治、经济、社会、心理、宗教、国家、种族以及其他方面的差异全都囊括其中。路易士·卢斯贝塔写到：

> 文化是生活的蓝图，是一种图示；社会依据这些图示调整自己，以适应物理、社会和思想环境。针对物理环境，文化包括食品生产、技术知识和技能；社会适应方面，包括政治系统、亲属关系、家庭组织和法律，这是人与其同胞互动时所依据的图示。人们透过知识、艺术、巫术、科学、哲学和宗教来处理思想环境。文化是人们对本质上相同的人类问题所作的不同回答。[1]

宣教士必须要对文化在传扬基督时所发挥的重要性有深刻的认识。说到底，宣教士与任何一个特定文化族群沟通所能达到的程度，取决于他们对这个文化各方面的理解有多少。

宣教士首次出发到外国前，往往事先对自己要服事的工场多加认识、对必须跋涉的遥远路途有心理准备；然而，一旦到了工场，他们面对的最大问题就近在咫尺。你若询问经验丰富的宣教士在工场上遭遇最令人沮丧的经验，大多数人会告诉你沟通方面的问题。他们多年苦读，长途跋涉了几千公里前来传扬基督的福音，现在，他们终于能够亲身站在目标文化的受众面前，但连最简单的话都沟通不了，这是一个多么大的冲击！

宣教士应该为有朝一日遇到这个挫折作好准备。他们努力准备福音信息，因这福音，他们信而得救；因勤读福音，他们生命得以坚固。现在他们想要把福音信息传递给那些还没有听过的人，因为这就是宣教士的主要工作；但是在有效地传讲福音之前，他们必须再次学习，不只是学习语言，更要研究听众。教之前必须先学，说之前必须先听。他们不但需要明白神赐给世人的信息，同时也需要了解信息传达的对象。

# 三重文化模式

美国圣经公会的尤金·奈达对了解宣教士的沟通问题有重要的贡献。他在〈沟通结构〉一章中的讨论和图表，为我们建立宣教士沟通的三文化模式提供基础了解。[2] 读者如果阅读奈达的原著必定受益

匪浅。

宣教士是一个沟通者，必须考虑到自己文化之外的两个文化（参下页图）。首先，他要了解圣经。从根本上来说，福音信息并不是他的，他不是原创者；信息最初赐下的时候，他不在场，也不是当时受众文化群体的人。他明白自己必须竭力"在神面前作一个蒙称许、无愧的工人，正确地讲解真理的道"（提后2:15）。对于圣经信息，宣教士只是信使或使者，是次级来源，从来都不是原始来源。

其次，宣教士要了解自己的目标族群，希望他们能够聆听福音，以致可以悔改相信，领受神话语的真理教导，并且接受基督作救主和主。宣教士面对受众文化，一定要意识到自己永远都无法成为真正的本地人，把圣经信息处境化的能力总是非常有限；受众文化对他来说到底还是接受来的文化，永远都不会成为自己原来的文化。

但也正是由于这个在圣经文化和目标文化之间中间人的角色，宣教士拥有独特的机会作基督的使者。这项任务要求高、涉及面广，所以作基督的使者要面对极大的挑战。

宣教士传扬的信息是圣经的信息，是神借着使徒和先知在圣经的语言和文化背景中赐下的。为了简单起见，我们所说的"圣经文化"包括所有圣经信息最初赐下时的文化背景——无论是以斯拉时代的犹大、基督时代的耶路撒冷，或保罗时代的雅典。在这些文化背景中，有发信息者（以斯拉、我们的主基督和保罗）、信息本身和回应者。**发信息者**以**回应者**能够明白的形式将信息编码，因回应者就是这些

文化里的人。

无论宣教士来自伦敦、芝加哥或首尔，他们的文化与受众文化可能差得很远。他从小到大、受教育，都是在自己的文化、语言中接受世界观和价值观；也在自己的文化背景中接收到基督教的信息，而传递信息的人也很可能是这个文化里的人。我们将这个文化标记为"宣教士文化"。

然后，还有在另外一个文化之中的人，该文化有自己的发信息者、信息本身和回应者。我们将这第三个文化标记为福音"受众文化"（或"目标文化"）。论到这个受众文化，宣教士有当前和最终的目标。首先，他渴望以一种能够使人们明白、悔改和相信福音的方式去传扬基督。然后，他希望将这信息用适切于当地文化的方式，托付给那些"又忠心又能够教导别人的人"（提后2:2），而这种方式只有土生土长的领袖才能完全掌握。

## ✓ 宣教沟通的三重文化模式

发信息者
Source

信息
Message

回应者
Respondent

信息

S M R

发信息者　　回应者

**圣经文化**

信息

S M R

发信息者　　回应者

**宣教士文化**

1　2　3　4

信息

S M R

发信息者　　回应者

**受众文化**

1. 基督教的信息源于"圣经文化"，以适合于"宣教士文化"的语言和形式临到宣教士。
2. 宣教士的第一个任务是回到圣经经文，根据最初赐下时的背景语言和形式来解释（这是解码）。
3. 宣教士的第二个任务是以"受众文化"中的听众和读者能够理解的语言和形式，来翻译和传播整本圣经信息（这是编码）。
4. 宣教士执行第二个任务时，要尽可能减少从"宣教士文化"而来的干扰。

## 圣经文化背景

现在，我们可以从更清楚的角度来看宣教士的任务了。宣教士必须从两个不同的方向穿越文化界限。第一个挑战是依照公认的圣经解释规则，正确地将圣经的信息解码。他要研读圣经，如有可能，最好研读原文圣经，不过始终要从"圣经文化"的背景来研读。任何合理的诠释系统都必须考虑到信息最初传递时的文化处境、背景、句法、风格、听众的特点，以及信息赐下时的特殊环境，这个过程对圣经解释是必不可少的。解经者在解释的时候，必须防止把自己文化背景下的意义投射到解经的过程中，从而导致错失或曲解经文的原意。因为我们在学习自己的文化时常是完全无意识且不加批判的，所以更容易产生投射。

我有一位朋友参加了圣地的旅游团。当他们经过约旦河谷中的一棵树下，导游伸手摘下一些果实，剥去外壳就吃下去了。他边吃边转过身来对旅游团的人说："圣经说施洗约翰吃的就是这种'蝗虫水果'和野蜜。"整个旅游团的成员不约而同大惊失色。他们一直都以为马太福音和马可福音所提到的蝗虫是蚱蜢！他们这样想像也情有可原，问题在于他们从来没有想到其他的可能性，因为在他们的文化里，"蝗虫"、"蚱蜢"非常普遍，但"蝗虫水果"却是前所未闻。

## 受众文化背景

然而，正确的解经仅仅是宣教士职责的开始。宣教士现在必须注意另一个方向，就是接受福音的"受众文化"，包括他们的世界观、价值系统和沟通规范。他必须牢记，受众文化中的人像他一样，已经深深地吸收了自己的文化观念和价值观。很有可能，他们比"宣教士文化"中的非信徒更不了解"圣经文化"；也可能有同样的倾向，把对自己文化的理解概括起来投射到对"圣经文化"的理解中。

宣教士面临的第二个挑战，是使用对"受众文化"群体有意义的语言和形式，将圣经信息**编码**；为的是尽可能将圣经信息沟通出来，而**尽量减少**来自自己文化的**干扰**。

这个任务并不像很多人所想像的那样简单。例如，在把启示录第三章12节翻译成非洲扎纳基（Zanaki）的语言时，为了不让扎纳基人误解该节经文的意思，翻译者要考虑使用对扎纳基人有意义的表达。扎纳基人沿着浩瀚的维多利亚湖曲折的岸边居住，你不能对他们说："看哪！我站在门外敲门"（启3:20）。这样的翻译好像基督在说自己是个盗贼，因为在扎纳基人的地方，盗贼在入室行窃之前往往会先敲小屋的门，假如听到里面有任何动静，他们就会顿时消失无踪。一个正正当当的人呢？他会在屋前呼叫里面的人名，用声音来表明自己的身分。因此，将圣经翻译成扎纳基语时，最好译为："看哪！我站在门外呼喊"。当然这个措词对我们来说可能稍微有点奇怪，但意思是一样的。在这两种的翻译，基督都是请人打开门，祂不是盗贼，也不会强行闯入；到我们这里的时候，"祂敲门"，但在扎纳基人那里，"祂呼喊"。要说有什么差别，那就是扎纳基人的表达比我们的更个人化一些。[3]

> # 宣教士的最终目标是从目标文化内部，栽培本地领袖作基督教信息的有效发信息者。

在"受众文化"的背景中的宣教沟通，还有另外一个重要的方面。我们已经说过，宣教士的最终目标是从目标文化内部，栽培本地领袖作基督教信息的有效发信息者，忽视这个目标的宣教沟通是短视的。过去因为没有看到这一点，教会的普世宣教成效已经大打折扣；西方宣教士和教师很习惯（虽然不是有意地）鼓励当地领袖在思想上和方法上西化。有一次，当我们结束了一个跨文化沟通的课程之后，一位亚洲牧师承认自己在多年的事奉中给亚洲听众讲道时一直用的是"西式讲道法"。归根结柢，因为他从北美的宣教士那里听到福音，并且他学习神学、讲道学和布道学所用的教材都是英语和德语的。他所受的基督教训练大部分都采用西方文化的语言和模式，难怪他沟通基督教信仰时缺乏与受众文化的适切性，即便受众文化就是他自己的文化。

此外，更多的是，宣教士并没有把基督对"受众文化"之外族群的关心表达出来，结果造成香港的基督徒对印尼没有异象，委内瑞拉的基督徒很少关心秘鲁未信的人。在许多"宣教工场"的教会的确也有宣教异象，不过很少是"西方"宣教士事奉的结果。尽管这些情况既讽刺又令人遗憾，但一般宣教士的负担重点主要表现在对自己的目标文化上，也无可厚非，可是，宣教士若不把整个世界视为神爱的对象，并且把这个异象传递给当地的基督徒，他们的异象就只会局限在自己的宣教负担里！

## 附注

1. 卢斯贝塔（Louis J. Luzbetak），《教会与文化》(*The Church and Cultures*) (Techny, IL.: Divine Word, 1963), pp. 60-61。

2. 奈达（Eugene A. Nida），*Message and Mission: The Communication of the Christian Faith* (New York: Harper and Row, 1960), pp. 33-58。

3. 奈达，*God's Word in Man's Language* (New York: Harper and Row, 1952), pp. 45-46。

## 研习问题

1. 如何着手学习其他人或其他族群的文化，使得我们能够有效地沟通福音？
2. 研究与经文相关的文化，如何能帮助我们向受众文化解码、准确解释圣经信息？

# 第69章 救赎类比

唐·理查森（Don Richardson）

1962 到1977 年间，作者受世界宣教使团 (World Team，过去叫域外传道会 RBMU）差派，在印尼伊里安查亚省（位于巴布亚岛）沙威 (Sawi) 部落中宣教。自那时起，他便担任世界宣教使团的巡回牧师。著有《和平之子》(Peace Child)、《大地之主》(Lords of the Earth) 及《永恒在我心》(Eternity in Their Hearts) 等书，并经常在各地宣教大会和"宣教心视野"课程上演讲。

当宣教士进入另一个文化时，他或她明显的是个外国人，这是意料之中的事，只是他所传的福音也往往被贴上"洋教"的标签。要如何解释福音，才能更贴近文化呢？

新约圣经采用救赎类比（redemptive analogy）的方式来沟通。请仔细思考以下的例子：

- 犹太人用羊羔献祭。施洗约翰宣告耶稣以祂自己全然实现了这种献祭。他说："看哪，神的羊羔，是除去世人的罪孽的！"这就是**救赎类比**。

- 耶稣与犹太人的老师尼哥德慕交谈。他们二人都知道摩西曾经举起挂在杆上的铜蛇，使那些被蛇咬伤将死的犹太人一看铜蛇就得医治。耶稣告诉尼哥德慕："摩西在旷野怎样把铜蛇举起，人子也必照样被举起来，使所有信祂的人，不至灭亡，反得永生。"这也是**救赎类比**。

- 一群犹太人以摩西一周六天供应神奇的吗哪为例，暗示耶稣也当一周几天施行五饼二鱼的神迹。耶稣回答说："摩西没有把从天上来的真食物赐给你们。从天上来的真食物是从天上降下来，把生命赐给世人的那一位……我就是生命的食物！"这还是**救赎类比**。

有人指责基督教破坏犹太文化，但希伯来书的作者表明，基督事实上成就了犹太文化所有的核心要素——祭司、会幕、献祭，甚至安息日的休息。我们称这些为救赎类比，因为这有助于人们理解救赎的意义；神使用类比的目的，是以文化上非常显著的方式来影响人们的思想，使人们能够认识到耶稣是弥赛亚。除了圣经之外，我们看到神的普遍启示是全世界救赎类比的源头（参诗19:1-4；约1:9）。

# 当今适用的有力策略

当今的宣教士可以运用救赎类比的策略，只是他们需要识别每个文化所独有的救赎类比。我们仔细考虑其优点：如果人们的归信是由救赎类比促成，那么他们会认识到自己文化中所蕴含的属灵意义。这样，归信并不否定他们的文化背景，相反的，他们对圣经和自己的文化传统，都产生更加深刻的洞察；从而使他们得到更好的装备，能够与自己社会中的其他人更有意义地分享基督。

# 寻找并使用救赎类比

## 1. 萨威人的"和平之子"

拙著《和平之子》（*Peace Child*）提到，当我和妻子发现，萨威（Sawi）部落的人竟然把背信弃义当作一种美德，非常惊讶，他们竟把加略人犹大视为福音中的英雄。不过，在萨威文化内部有一种达成和平的方法：要求父亲将自己的一个孩子交给敌方的父亲抚养，这个孩子就是所谓的"和平之子"。在一次面临部落冲突的紧要关头，我们借机介绍基督是神的"和平之子"，萨威人很快就领会了神的救赎故事，认识到神是最伟大的父亲，献出了自己的儿子，使远离祂的人与祂和好。现今有七成的萨威人相信耶稣。

## 2. 达毛族的"海伊"

萨威并不是唯一拥有难以置信的救赎类比的部落。在不到一个世代的时间以前，印尼伊里安查亚省（现称巴布亚）的

达毛（Damal）部落还生活在石器时代；他们是一个藩属的部落，生活在政治上比他们更强大的达尼（Dani）族的阴影之下。达毛人谈到"海伊"（*Hai*）的概念，即他们长久期盼的全盛时代。那是一个石器时代的乌托邦，战争将止息，人们不再彼此欺压，疾病也很少见。

达毛族有一个叫姆谷蒙德依（Mugumenday）的领袖，终生渴盼海伊早日到来，临死前把儿子德姆（Dem）叫到身边，对他说："儿子啊，我一辈子都没有盼来海伊。现在你要警醒等待，也许它会在你离开世界之前到来。"

几年之后，一对宣教士夫妇进到德姆的达毛谷。学会了达毛语之后，他们开始在村中教导福音，德姆和其他达毛人都彬彬有礼地倾听他们的教导。后来有一天，当时已经成年的德姆站了起来，说："哦，我的骨肉乡亲啊，我们的祖先等候海伊已经很久。非常遗憾，我父亲在他过世之前也没有看到。但现在，你们还不明白吗？这些陌生人已经把海伊带到我们这里来了！我们必须要相信他们的话，否则，我们会错失这古老的盼望。"

几乎所有人都欣然接受了福音，几年之内，差不多每个达毛部落的村庄里都有了教会。但故事还不止于此。

## 3. 达尼族的"那波澜卡波澜"

未料，发生在达毛人村庄里的各种令人振奋的事情，让傲慢的领主达尼人也感到兴致勃勃，于是，他们派会讲达毛语的人去探个究竟。当得知达毛人因着他们古老的盼望得到了实现而欢喜时，达尼人大吃一惊。他们也一直在等候所谓的"那波

澜卡波澜"（*Nabelan-Kabelan*）的到来，他们相信这个不朽的那波澜卡波澜有一天会来到人间。

达毛人所讲的海伊有没有可能也是达尼人的那波澜卡波澜呢？原来，戈登（Gordon）和佩姬·拉森（Peggy Larson）夫妇受差在达尼族中作工，当时达尼族的勇士们注意到他们经常提起一个叫耶稣的人，祂不仅能使死人复活，祂自己也从死里复活了。突然间，整件事情对达尼人来说变得明朗起来，就像当初达毛人那样。于是神的道传播开来，在绵延的山谷中，过去野蛮的达尼族人听从了生命之道，教会在那里诞生了！

## 4. 阿斯马特人的"重生"

另一个救赎类比，把重生的概念与印尼伊里安查亚省石器时代的阿斯马特（Asmat）部落联系了起来。圣经上讲的尼哥德慕是一个博学的犹太学者，但难以理解耶稣所说的重生；他问耶稣："人老了，怎能重生呢？难道他能再进母腹生出来吗？"但阿斯马特人却能够理解福音中的重生。

他们有一个达成和平的方法，让来自两个敌对村庄的孩童穿过一个象征性的出生通道，这通道由两个村庄中的一些男人和女人用身体形成；那些穿过通道的孩童，被视为**重生**进入了敌方村庄的亲缘关系之中。这时人们像对待新生儿一样把他们抱在怀中、轻轻摇晃、唱着摇篮曲、悉心地照顾他们，他们成了喜庆的焦点；从此，他们可以在两个原来彼此敌对的村庄中自由来往，充当活生生的和平担保。几个世纪以来，这个习俗已经在阿斯马特人

心中深深地留下了一个至关重要的概念："只有重生的经历才能带来真正的和平"。

假如神呼召你去向阿斯马特人传福音，最合理的起点是什么？让我们现在假定你已经学会了他们的语言，足以跟他们谈谈内心的事；有一天，你去拜访一个典型的阿斯马特人艾里皮特（Erypeet），在他的长屋见面。首先，你与他谈论战争一开始的情况，后来怎么做了结束战争的重生协定。然后，你对他说："艾里皮特，我对重生也很感兴趣。你知道，我原来有一个叫作'神'的敌人，我与祂老是争斗；那时我的人生非常糟糕，就像原来你和你的敌人势不两立一样。但有一天，我的敌人'神'走近我，对我说：'我已经预备好了重生，凭着重生我可以生在你里面，你也可以在我里面再生一次；如此，我们双方可以和好……'"

这个时候，坐在垫子上的艾里皮特身子禁不住往前倾，问道："你和你们民族也有重生？"他惊奇地发现，这位高雅的外国人，竟然也**思考**重生的问题，而且还**经历**过了！

"有啊！"你回答说。

"跟我们的一样吗？"

"哦，有一点类似，但也有一点不同。"你说，"让我来告诉你这是怎么一回事吧……"于是艾里皮特豁然开朗。

为什么艾里皮特和尼哥德慕的反应如此不同呢？艾里皮特的思想已经受到阿斯马特人的救赎类比影响，认识到重生的需要。你的任务是去让他相信：他需要属灵的重生。

这些救赎类比仅仅是巧合吗？当然不是，因为新约圣经已经预示了这重要的应

> # 有为数不少的文化，对至高创造主的概念都清楚地令人惊讶。

用，而且还很普遍，我们由此可以看出这是神的恩典在作工，不会是偶然的，毕竟，我们的神掌管万有！

### 5. 亚利人的"奥苏瓦"

有什么文化缺乏形成救赎类比的概念呢？《大地之主》(*Lords of the Earth*) 一书中所描述的伊里安查亚省食人部落亚利 (Yali) 族的文化可能算一个吧！假如有什么部落缺乏宣教士用以求助的预表基督的信念，那非亚利部落莫属。1966年，域外传道会 (Regions Beyond Missionary Union，现名世界宣教使团，World Team) 的宣教士带领了约二十个亚利人相信基督，亚利族神明肯姆布的祭司立即杀害了其中的两人；两年之后，他们又杀害了宣教士斯坦·戴尔 (Stan Dale) 和菲力浦·马斯特斯 (Phillip Masters)，往他们每个人身上射了上百支乱箭。后来，同样受到亚利部落威胁的印尼政府介入了该事件，以平息进一步的暴动。因怕政府的势力，亚利人决定宁愿要宣教士，也不要军队进驻；但是，宣教士在亚利人的文化中找不到能将福音解释得清楚的类比。

为更多了解亚利人的习俗和信仰，我与另外一位宣教士合作进行了一次"文化探索"，虽然事情已经过去好久。有一天，一个名叫伊拉里 (Erariek) 的亚利年轻人与我们分享了他的往事；他说："很久以前，我兄弟苏纳罕和一个名叫卡哈勒的朋友，遭到河对岸敌人的伏击。卡哈勒被杀害了，但苏纳罕逃往附近一个环形的石墙，他一跳进里面，就转过身来，朝他的敌人敞开胸膛，嘲笑他们。敌人立即收起他们的武器，匆匆离开了！"

我吓得差点把笔掉到地上。"他们为什么不杀他呢？"我问道。

伊拉里微笑着回答说："一旦我的兄弟站在那个称为'奥苏瓦'(Osuwa) 的圣墙里，假如他们流了他一滴血，自己的族人就会杀掉他们！"

亚利的牧师和在亚利部落中服事的宣教士现在有了一个新的福音工具：基督就是属灵的"奥苏瓦"——完美的避难所。亚利人的文化在这一点上与基督教的教导产生了共鸣：人需要一个避难的地方。很久以前，他们就在屡次发生战争的地方建立了一个个的奥苏瓦，宣教士也曾经注意到这些石围墙，但一直都没有认识到真正的目的。

## 使用本土的名字称呼神

救赎类比的另一个具体范畴，涉及到可用来称呼神的本土名字。耶和华神的别名"伊罗欣"(Elohim) 可以在全世界数千种语言中找到。基督徒常以为异教徒对神一无所知，这是不对的。实际上，为数不少的文化，对至高创造主的概念都清楚地令人惊讶。这其实并不意外，因为圣经告诉我们，神借着自然界和良心彰显祂的普遍启示。例如：

● 使徒保罗写道："其实自从创世以来，

神那看不见的事，就如祂永恒的大能和神性，都是看得见的，就是从祂所造的万物中可以领悟，叫人没有办法推诿。"（罗1:20）保罗认为，人们即使在听说犹太律法或基督教的福音之前，就已经对神有所了解，这个信念是保罗布道神学的基石。他在吕高尼人的路司得城里就表达出这个观点，他宣称："在从前的世代里，神容忍万国各行其道，然而却未尝不为自己留下明证，就如常常行善事，从天上降下雨来。"（徒14:16-17）

- 保罗在他写给罗马基督徒的著名书信里说道："外族人如果按本性行律法上的事……这就表明律法的作用是刻在他们的心里。"（罗2:14-15）

- 使徒约翰宣告耶稣基督是"普照**世人**的真光"（约1:9）。所罗门王写到，神已经"把永恒的意识放在人的心里"。但他加以警示，人自己还是"不能察觉神自始至终的作为"（传3:11）。在希伯来学者格利森·阿彻看来，所罗门的意思是指人类拥有神赐的能力来领会永恒的概念，人类的道德责任是无可推诿的。[1]

- 所罗门的父亲大卫王，很形象化地描述神借着受造物来向全世界见证祂自己。大卫写到："诸天述说神的荣耀，穹苍传扬祂的作为。天天发出言语，夜夜传出知识。没有话语，没有言词，人也听不到它们的声音。它们的声音传遍全地，它们的言语传到地极。"（诗19:1-4）然后，大卫把重点放在太阳，描述太阳如同"新郎出洞房"，又像"勇士欢欢喜喜地跑路"（诗19:5）。也许没有

其他任何经文比这一节更适合介绍帕查库德王（King Pachacutec）了。

## 帕查库德的微型改革

帕查库德王也许是历史上保罗、约翰、所罗门和大卫在上述引文中所指的最好例子。帕查库德是印加（Inca）人，生活于公元1400～1448年之间；[2]马丘比丘（Macchu Picchu）城是他主持设计和建造的，这也许是新大陆的第一座避暑山庄。在西班牙人入侵秘鲁之后，马丘比丘城就成了印加上层阶级的最后一个圣所。

帕查库德王和臣民崇拜太阳，他们称之为"印帝"（Inti），但帕查库德王开始怀疑印帝的可信度。他像大卫王一样研究太阳，他发现：太阳没有什么神秘之处，只是升起、发光、越过天顶、沉落。第二天也是如此：升起、发光、越过天顶、沉落。他不像大卫那样把太阳比作新郎或勇士，帕查库德说："印帝似乎只是一个工人，日复一日执行了无新意的繁重工作。如果他仅仅是一个工人，毫无疑问，他就不可能是神！如果印帝是神的话，就应该会不时地做一些新鲜事儿！"

他继续思考和观察，"仅仅薄雾就使印帝的光暗淡了。如果印帝是神的话，肯定没有什么东西能使他的光减弱！"就这样，帕查库德王悟出一个至关重要的道理：原来他一直在把一个**物体**当作创造主来崇拜！

但假如印帝不是神，那么帕查库德王该转向谁呢？此时，他想起父亲曾经称颂的名字——"维拉科查"（Viracocha）！据他父亲说，维拉科查不是别的，就是创造

> **没有任何特定的声音或者字母的组合是专属全能神的。如果需要的话，祂可以在上万种语言中有上万个别名。**

**万物**的神。万物包括印帝！帕查库德王悟出一个很干脆的结论：把印帝当作神简直是无稽之谈！他把太阳神的祭司召集起来开了一个大会，有些类似于基督教的尼西亚会议，只不过是异教的罢了。帕查库德王站在与会者前面，向众人解释他关于维拉科查才是至高者的推论；然后他下令，从此只能把印帝称为"亲族"，同时宣布只能向至高的神维拉科查祷告。

学者通常都忽略了帕查库德，却对埃及的一个国王阿肯纳顿（Akenaten，公元前1379～1361年）有着广泛的好评，称赞他是罕见的天才，因为他试图以更单纯、更简单的方式将太阳作为唯一的神来崇拜，以此取代古埃及极其混乱的偶像崇拜。[3] 然而，帕查库德远远超过了阿肯纳顿！因为他认识到，只能使人**炫目**的太阳根本不能与神相提并论，神太伟大了，以至于人眼都不能看到祂。如果说阿肯纳顿的太阳神崇拜是超越偶像崇拜的一小步，那么，帕查库德认定那不可见的神则是更上一层楼了。

为什么现代的学者，不论是宗教的还是一般世俗的，基本上都忽略了这个了不起的人物呢？这也许是因为帕查库德在尚未取得更大成就之前就停了下来。将自己的洞见传播给"普通"人的能力，是衡量一个人天赋的重要指标；从摩西到佛陀，从保罗到路德，伟大的宗教领袖都非常擅长这方面的技巧，但帕查库德从来没有试过。他认为自己众多的臣民太过无知，无法欣赏一位不可见之神的价值，于是故意使他的臣民对维拉科查一无所知；帕查库德的改革虽然出色，但仅仅局限于上层阶级，沦为微不足道的微型改革。众所周知，上层阶级只是短暂的社会现象。帕查库德死后不到一个世纪，无情的征服者彻底消灭了帕查库德帝国的上层阶级，他的改革也就宣告终了。

维拉科查确实是真神，是创造万物的神吗？抑或是帕查库德想像出来的一个冒牌货？设若保罗生活在帕查库德的时代，在某次宣教旅程中到了秘鲁，他会谴责帕查库德的洞见是一个错觉吗？还是他会同意，"在这片土地上，耶和华的名字就是维拉科查"？保罗对这个问题的态度不难推断。保罗在讲希腊话的族群中传福音的时候，并没有把犹太人对神的称呼强加给他们，无论是耶和华、雅巍、伊罗欣、主或全能的神等名字；相反的，他以使徒的权柄，认可了两百多年前旧约七十士译本译者的决定，他们给了犹太人的神一个完全希腊化的名字——狄奥斯（Theos）。保罗沿用了这一称呼。

有趣的是，七十士译本的译者并没有试着把希腊人的神宙斯等同于雅巍，保罗也没有。尽管希腊人尊宙斯为"众神之王"，但他也是另外两个神——克洛诺斯（Cronus）与瑞亚（Rhea）之子。因此，宙斯的名字不够资格作为非受造的雅巍的名字；后来，狄奥斯的拉丁语同根词

Deus 被罗马帝国的基督徒接受，视之为与雅巍对等的名字！

保罗在雅典传福音的时候，大胆地把城里某个祭坛所敬奉的"不认识的神"等同于雅巍。保罗说："我现在把你们不认识而敬拜的神传给你们！"

## 传扬福音的机会

由此我们可以看出一个原则。与耶和华见证人（Jehovah's Witness）所相信的相反，我们认为没有任何特定的声音，或者字母的组合是专属全能神的。如果需要的话，祂可以在上万种语言中有上万个别名！要谈论一个非受造的创造者，不可能不称呼"祂"（HIM）。若有人抗议某个

名字"错失了祂的一些属性"，那他的责任就是弥补上！若"至高造物主"的概念在任何文化里是一片神学空白，对福音的播扬而言，不是障碍，而是机会！

基督教传遍世界各地，从保罗的时代到如今，都继续肯定人类上千种不同文化传统中的至高神的概念：

● 当哥特人的宣教士向北欧的盎格鲁撒克逊人传福音时，他们并没有将犹太人或希腊人称呼神的名字强加给他们。相反，他们直接使用盎格鲁撒克逊的词语，例如 "Gött"，"God" 或 "Gut"。

● 1828 年，美国浸信会宣教士博多曼（Boardman）夫妇，发现缅甸南部的克伦（Karen）族人相信的神"奕瓦"

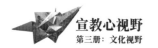

（Y'wa，与雅巍音很类似），这位伟大的神在很久以前赐给他们祖先一本圣书，唉，但是这些不争气的先祖竟然把它给弄丢了！但根据克伦族悠久的传统，将来有一天，一位白皮肤的兄弟会把那本丢失的书归还给克伦族人，使他们恢复与奕瓦的关系。这个传统称，这位白人兄弟出现时会在胳膊下夹着一个黑色的东西；可想而知，习惯于将自己的黑色皮面圣经夹在胳膊底下的博多曼立即成了那位白人兄弟，在几十年的时间里，超过十万克伦族人相信耶稣，并受了洗礼！

- 1867年，挪威路德会的宣教士思寇路德（L. Skrefsrud）发现，印度数以千计的桑塔尔（Santal）人，为着他们的祖先拒绝真神"塔库尔巨"（Thakur Jiu）而懊悔不已。思寇路德告诉他们，塔库尔巨的儿子已经来到世上，使与祂疏远的人类与自己重归于好。结果，短短几十年，超过十万桑塔尔人接受了耶稣基督作他们的救主！

- 长老会的先驱发现韩国人称呼神——"哈拿宁"（Hananim），意思是独一至大者。他们没有把哈拿宁弃置不用，将一个洋名强加给当地的人，而是直接称耶稣基督是哈拿宁的儿子。在差不多八十年的时间里，两百五十多万韩国人成为耶稣基督的跟随者！

- 二十世纪四○年代，苏丹内地会的宣教士阿尔伯特·布兰特（Albert Brant）发现，在非洲埃塞俄比亚的吉迪奥（Gedeo）部落，有数以千计的人相信创造主"马加诺"（Magano）有一天将会差派使者来到某棵无花果树底下扎营。谁知布兰特来了，果然在那棵树下露营；结果，一场对福音轰轰烈烈的回应应运而生，不到三十年，有两百五十间教会建立起来！

在宣教的历史上，此类突破性发展的故事何止千百！保罗、约翰、所罗门和大卫所形容的确实是对的！神千真万确地为自己留下了普遍启示的见证，可悲的是先辈没有及时服从大使命。帕查库德心中有永恒的概念，只可惜当初没有福音使者帮助他在耶稣基督里找到真理，否则历史必定会重写！

还有多少像帕查库德这样的人，在他们心中的真理未得到证实之前就去世了呢？在审判的时候，会有多少代的帕查库德兴起来与尼尼微人和示巴女王一道责备冷漠的信徒呢（路11:31-32）？让我们努力成为这个世代的博多曼、思寇路德和布兰特，有足够的爱心，愿意去把福音告诉别人！

在我们这一代，选择用什么语言来提说神的名字是一件至关重要的事情。例如，有些基督徒不能接受伊斯兰教神的阿拉伯语名字"安拉"为伊罗欣的同义词。可是我们要知道，在印尼，几百万基督徒称神为安拉，称耶和华神为"上帝安拉"（Tuhan Allah）；也许正是由于这个原因，印尼的基督徒比其他任何地方的基督徒都更加有效地赢得穆斯林归信基督。同时，我们也注意到，某些穆斯林国家知道安拉这个名字深入穆斯林的心灵，于是考虑制定法律，禁止基督徒使用该词来指基督的福音。

像萨威人的和平之子、达毛人的海

伊、达尼人的那波澜卡波澜、阿斯马特人的重生，以及亚利人的奥苏瓦等概念，都处于人类文化的核心；当福音使者忽视、诋毁或消灭这些独特的概念时，人们对福音的敌挡会硬化成文化的铜墙铁壁。但是，既然救赎类比对文化中受到神普遍启示所影响的部分，予以确认和肯定；我们也可以高举圣经（神的特殊启示）为神完备的启示，这启示源自于神，也效力于神。许多地区对福音反应依然冷漠，甚至毫无反应；但就在这些地区，我们要是有敏锐的文化探索，一定会发现：透过救赎类比来传递福音大有潜力！

## 附注

1. 根据对格利森·阿彻（Gleason Archer）的个人访谈。
2. *Indians of the Americas* (Wash., D.C.: National Geographic Society, 1955), pp. 293-307。
3. *The Horizon Book of Lost Worlds* (New York: American Heritage Publishing, 1962), p. 115。

## 研习问题

1. 设想自己是一个刚开始服事的宣教士。你将如何针对所服事的族群，应用救赎类比的策略？
2. 普遍启示的概念，如何影响宣教士在其他文化里传递圣经真理的方式？
3. 宣教士向人传达圣经所启示的神，沿袭本土的名字来称呼神，如何帮助当地人认识真理？

# 第70章　使口语学习者作主门徒

口传天下网络（International Orality Network）

"口传天下网络（ION）是由许多机构组成的一个网路，旨在推动宣教机构、教会和个人通过口述圣经故事和其他合适的文化沟通模式，去使所有口头学习者成为门徒。为了帮助教会在每一个地方兴起福音运动，该网路推动让包括未得之民在内的所有口头传播者能听到神的话语。本文摘自《口传天下：使口语学习者作主门徒》（Making Disciples of Oral Learners），由一个研究小组于2004年在泰国芭提雅洛桑世界福音大会（LCWE）研讨会上编辑成书。本书由ION和洛桑世界福音大会共同出版。

自从古腾堡圣经出版以来，基督教就"用识字的双脚行走"，直接或间接要求人们识字；然而，全世界三分之二的人是口语沟通者，他们不能、不会或是不愿意通过识字的方式来学习！很讽刺的是，世界上约有九成的基督徒工作者是用高深的文字沟通方式来传讲福音。

要使口语学习者成为门徒，那就需要使用他们自己文化内耳熟能详的沟通形式，比如故事、谚语、戏剧、歌曲、颂歌和诗歌。以文字沟通的方法依赖目录、大纲、字义研读、出版物，以及对神话语的分析性解释；这种方法对口语学习者来说，要听得懂和理解信息，再将信息传递给其他人，恐怕是难于上青天！

## 口语文化的学习和沟通

"口语学习者"指那些对口语形式的教导学习得最好，而且最可能因这样的学习而经历生命改变的人。口语文化常常存在于关系高度密切的熟人社会中，借着故事、谚语、诗词、颂歌、音乐、舞蹈、庆典等形式，来传递人们的信仰、传统、价值观以及其他重要信息；在这些活动中，人们所说、所唱或歌吟的，通常包含着绚丽和精巧的沟通方式。

口语学习与文字学习不同，除了沟通的表面形式或风格不同，连处理信息的方式也不同。口语学习者处理信息的方式包括具体的（而非抽象的）概念，按顺序来（而不是随机地）表达事件，注重关系性的（不同于个人主义）背景。

那些在高识字率的社会中长大的人，觉得文字沟通较为有规范，而口语沟通会有偏差，但实情并非如此，所有的社会，包括那些有高识字率的社会，在他们的社会核心中都有口语沟通的模式。口语沟通的功能是写作以及识字的基础！当文字沟通模式在一个文化中延续数代之后，就开始改变人们思考、行为和沟通的方式；以至于识字社会里的人，根本无从了解他们的沟通模式，与那些占世界绝大多数的口语沟通者的模式，有多么不同。

然而，即便是用口头的形式把文字叙述出来，口语学习者仍然很难理解。把为识字者所准备的材料照本宣科读出来并录音还是不够，有声材料不等于"口语化"的沟通方式，光碟或者磁带上的内容不见得都是"口语的"。有些内容，或说或听，很明显带有书面文字的色彩；为识字受众所制作的其他媒体产品也是如此，其文体特征可能会令口语学习者感到困惑。

## 在口语文化中培训门徒

培养口语学习者成为门徒的关键，在于注重口语文化中传讲福音的五个重要方面：

### 1. 用口语策略让人听到神的话语

我们希望所有族群都有自己的母语圣经。但是，对于文盲来说，即使有自己语言的书面圣经，他们也阅读不了；所以，先以讲故事的形式，口头讲述圣经，然后再进行翻译和识字教育工作，这样的圣经翻译计划，才是用该族群的母语传讲神的话语最全面的策略。如此，口语学习者才能明白神全备的话语，也才有机会使他们作主门徒。

在一个绝大多数人属于口语沟通者的社会里，可以从口述圣经故事开始，这样较有系统、有一惯性，然后制作这些故事的有声读物和广播节目，再进一步运用更多资料做更为广泛的内容和题材。[1]在某些情况下，可以用基本的视觉教具作为补充，例如描绘圣经故事场景的插图；当然，电影和视频也可以丰富"口语圣经"的表现。

> **全世界三分之二的人是口语沟通者，他们不能、不会或是不愿意通过识字的方式来学习。**

### 2. 用口语沟通模式传达福音信息

我们应当思考，如何帮助口语学习者群体不但听到福音信息、清楚理解福音，还能作出深刻的回应，并且把福音信息传递给他人。几乎在任何一个口语文化里，以口语、按顺序的模式传讲圣经故事，都能够帮助听众更好地理解、记忆和复述这些故事。这种用故事来沟通的方法称为"按时间年代顺序将圣经故事化"。

用"讲故事"的方法来开展事工，需要在当地领袖的帮助下，选择和撰写圣经故事。故事既要忠实于圣经原意，又要以自然和令人信服的方式用母语讲出来；这样，故事与受众社会的世界观才会产生共鸣。按时间年代顺序讲述圣经故事的方法若是用得好，受众社会听到这些故事就觉得很逼真、感人，且喜欢听。传达故事的方法要切合受众文化，那么听的人和讲故事的人可有交流或讨论，就更好了。

### 3. 装备以故事沟通者去培训门徒

不少人赞同，在传福音的初期阶段，按时间顺序将圣经故事口语化之类的方法还不错；但是认为，对已经持续一段时间、有本地领袖起来带领的教会就不见得适用。经过持续的门徒培训和领袖栽培，对教会中第二代、第三代以及随后世

> 我们应当思考，如何帮助口语学习者群体不但听到福音信息、清楚理解福音，还能作出深刻的回应，并且把福音信息传递给他人。

代，还用口语讲圣经故事，够吗？可是那些在讲究关系的社会里的工作者发现，讲故事不仅对第一代很可行，而且还是确保代代相传的首选方法！在本色化的教会倍增运动当中，任何可复制的事物都是可持续的。新信徒可以很容易地用别人向他们传福音和培训门徒的方法，与别人分享福音，建立新的教会，并且培训新信徒成为门徒。

## 4. 用口语途径训练门徒应避免混合主义

教会要想避免混合主义，就必须要用目标族群的母语来传讲福音；也避免用一般通用的传福音或门徒培训材料，而用针对受众的世界观来设计。挑选的故事以及讲故事的方式都要考虑到能否改变受众的世界观，依据录下来的口语圣经作为标准，以确保故事在流传的过程中保持准确。如此才得保证教会持守基督教历史悠久的信仰，不论在教义或实践中，都不致与目标族群的传统信仰混合起来。

## 5. 也适用于"间接口语学习者"

另一种，世上有无数的人尽管识字，还是宁愿选择口语的方式，而不用文字的方式来学习和沟通，这种人我们称作"间接口语学习者"。他们虽然因上学或是工作学会识字、阅读，但是更喜欢用口语的方式娱乐、学习和与人沟通。

还有，对于那些习惯使用电子媒体的人，也有必要用口语策略向他们传福音。电子媒体突飞猛进的增长与普及，带来了全球化间接口语沟通现象，依赖像收音机、电影和电视等非纸质媒体，口语社会很可能变成多媒体社会；人们生活在受故事和歌曲所影响的时代，越来越仰仗电子媒体，而非传统式面对面的沟通。村民们从前在闪烁的篝火旁"听"长者讲故事，现在则转到闪烁的电视机萤幕前"看"故事。巴西里约热内卢联邦大学的传播学教授慕尼兹·索德利（Muniz Sodre）说，"这里的功能性文盲还很多。在很多方面，巴西跳过了书写文字时代，直接从口语文化进入了电子时代。电视填补了这个空缺。"

即便在有强大识字传统的文化里，间接口语形态也有很大影响。有不计其数的人，虽然能够好好阅读，但（包括信仰和价值观）还是借由广播、电视、电影、互联网和其他电子管道所传播的故事和音乐获得大多数的重要资讯。这种现象使人们的思考、沟通、处理资讯以及做决定的方式，越来越像口语学习群体。若要在世界上的口语群体中掀起一场福音运动，口语策略是必不可少的！

**附注**

1. 这些以方言录制的影音材料包括全球录音网络（Global Recordings Network）的各种圣经资源、电影《耶稣传》（JESUS Film）的语音版、先知生平、耶稣生平和使徒生平的语音版、"信道是从听道而来"事工所录制的新约圣经戏剧版、以及"圣经广播"，这套材料有356个十五分钟长的故事，都摘自旧约和新约圣经。

**研习问题**

1. 根据本文，在口语文化中传讲福音有哪五个重要方面？
2. 为什么确定一个族群或者社会，是文字学习型还是口语学习型非常重要？

# 第71章 为什么用故事来传福音好？

汤姆·史戴（Tom A. Steffen）

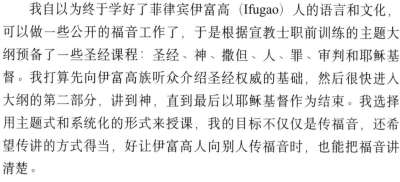

作者现任美国拜欧拉大学跨文化研究系教授和宣教学博士班主任。他曾在新部落差使命团（New Tribes Mission）服事二十年，其中十五年在菲律宾服事。本文摘自 *Reconnecting God's Story to Ministry: Crosscultural Storytelling at Home and Abroad*（2005年）。版权承蒙美国克里威廉图书馆许可使用。

我自以为终于学好了菲律宾伊富高（Ifugao）人的语言和文化，可以做一些公开的福音工作了，于是根据宣教士职前训练的主题大纲预备了一些圣经课程：圣经、神、撒但、人、罪、审判和耶稣基督。我打算先向伊富高族听众介绍圣经权威的基础，然后很快进入大纲的第二部分，讲到神，直到最后以耶稣基督作为结束。我选择用主题式和系统化的形式来授课，我的目标不仅仅是传福音，还希望传讲的方式得当，好让伊富高人向别人传福音时，也能把福音讲清楚。

但课程开始不久，我就注意到，伊富高人很难跟得上主题式的授课，更不用说向别人讲明所学的内容，我不由得困惑起来。

我意识到，我需要调整自己的教学方法。因此，我选择在课堂上插入了一些旧约故事，加上一些视觉效果，用（具体的）人物和教具来阐明抽象的（理论的）概念。从创造、堕落讲起，然后该隐和亚伯、大洪水、离开埃及、十诫的颁布、会幕、以利亚和巴力等故事，为耶稣的故事作铺垫。听众的反应立即不同了，不仅布道课程变得生动起来，听课的人也现买现卖，马上热切地开始向亲友传福音，把听到的故事讲给他们听，效果还真不错呢！从此，讲故事成为我布道事工中必不可少的一部分。

## 故事的力量

伊富高人让我看到故事的力量，于是我开始着手研究这个方法。[1]我很快就发现，包括管理学、身心健康学、护教学、神学和人类学在内的许多学科，都能使用故事作为教学法。

可惜对于许多传福音的人来说，讲故事已经成为一门失传的艺术。很少有人用旧约的故事做为坚实的基础来介绍基督生平，把带给人盼望的圣经故事与受众缺乏意义的人生联系起来。可是，反倒有许多人喜欢列出四、五条属灵法则,再用精湛的论证来证明法则的合理性。

为什么大家传福音偏重论证、轻视故事?因为有许多没道理的迷思影响我们,比如:

(1)故事是讲给小孩子听的;(2)故事是为了娱乐;(3)成年人较喜欢复杂、客观和命题式的思考;(4)教义、信条和神学可以塑造品格;(5)讲故事是浪费时间,不能深入探讨发人深省的问题。这种种的迷思,使得许多人对故事嗤之以鼻。在此,我要列出七个理由,说明讲故事应该成为所有传福音的人都要掌握的技巧,可以使神的故事与传福音、带门徒相辅相成。

**1. 讲故事是普遍的人际交往方式**

你到世界各地都会发现,人们喜欢讲故事和听故事,不论小孩、少年人和年长的,都喜欢透过故事来理解别人的生活经历。

不管话题是什么,故事都会成为谈话中不可或缺的部分。人们用故事来表明观点、添加幽默、说明重点、安慰沮丧的朋友、给比赛的人加油打气,或者没别的、仅仅是为了打发时间……不管为了什么,故事都用其独特的魅力打开话题。

随处都有故事可听,无论是在教会里,还是在监狱中,无论是在会议上,还是在篝火旁。人们不仅讲故事,而且也需要讲故事。我们来看讲故事的第二个原因。

**2. 全世界过半的人喜欢图像化的学习模式**

全世界文盲和半文盲的人或许超过能读写的人,[2]这样背景的人倾向以具体图像(故事和象征)而非抽象概念(命题式思考和哲学)来表达自己。

越来越多的美国人喜欢具体图像式的交流模式,这种现象反映出人们的沟通偏好发生的重大转变,至少部分原因如此。电视就是其一,电视的出现导致这个转变,读写能力也随之下降。现在,新闻采访播出的片段平均长度是十三秒,图像出现的平均长度有三秒(常常没有完整的逻辑),难怪那些每日受它影响的人,很少有时间或很少愿意去阅读。结果,报纸行业不断萎缩,而影像制品却急剧增加。如果传道人在布道和教导的过程中过于依赖抽象和文字的方式,那么他们将失去世界上三分之二的人的注意力。[3]

**3. 故事将人的想像力和情感联系起来**

有效的沟通不仅触及思想,而且深入内心情感,就是人的心灵,与原则、戒律和命题不同,故事触及全人,既广且深。

故事在讲述日期、时间、地点、姓名和年代等资讯之同时,还更能激起眼泪、欢呼、恐惧、愤怒、信心、信念、讥讽、绝望和希望。故事吸引听众进入故事人物的生活中,不仅听到发生在故事人物身上的事情,而且,透过想像感同身受,好像自己也身历其境(参与)。赫尔伯特·西内道精妙地抓住了这一点。他说:"故事有办法让那些我们素常麻痹的感情流露出来!"[4]

人们欣赏故事,因为故事反映了他们自己的生活,能把事实和感受编织在一起;故事激发人的想像力,使学习变得令人跃跃欲试,生命随之改变。

附篇
# 71-1　用圣经故事改变世界观

布鲁斯·格雷厄姆 (D. Bruce Graham)

　　圣经启示了一个故事，神要借着一群人在地上成就一个目的。圣经最初的篇章讲到以色列人的历史，让他们了解自己民族的独特身分和目的是什么，而他们的身分可以追溯到人类的第一个家庭和创造万物的神。不过，谈到追溯民族的历史和起源，这并非只有以色列族要做的功课，而是每一个民族都要探讨的问题。

　　各个民族透过讲述和重述他们的故事，塑造了他们的世界观和身分；但另一方面，如果一个民族的故事与神的故事没有关联，这个民族就处在没有盼望的境况之中，没有永恒的意义；每个民族都需要根据神对万族的故事来找到自己的位置和目的。

　　人们靠自己的世界观来过滤和评估新的信息。记得我们在电影《上帝也疯狂》(*The Gods Must Be Crazy*) 的开头看到，一个可乐玻璃瓶从一架飞越喀拉哈里沙漠的小型飞机上掉下来，落到沙漠民族沙奥 (Sho) 人当中，引起他们强烈的好奇心，不知道神明为何送来这么一个奇怪的东西，他们花了好几天来琢磨这东西要怎么用；最后，部落长老认为这个新奇玩意儿对他们没有什么用处，就派人把它扔了。

　　第一次听到圣经故事的人也会以类似的方式看待它。他们会问自己："这对我们有益处吗？能给我们一个更好的方式来应付这个世界，理解世界的意义吗？这个故事与我们所了解的现实相符吗？能给我们的民族带来希望吗？"要让一个民族接受和相信圣经的故事，我们必须在他们的世界观里面找到合适的位置和关联！如果人们认为这个故事给自己的民族带来答案，能实现民族的憧憬和希望，它就成了他们的好消息。他们可以看到自己以一种新的方式，与一位亘古长在又十分关心他们的圣洁之神联系起来。这位神已经在祂儿子里面把自己启示给他们，又借着祂儿子成就了在万古以先就为每一个民族预备好的应许和盼望；跟随祂，会使这个民族在地上的身分和目的得到恢复；如此一来，他们就成为神的故事的一环。

　　若要让听众的世界观发生这样的转变，讲故事的人就应当掌握整个圣经故事，而且还要讲得深入浅出。这绝不是给他们带来一个新的"宗教"，也不只是一个"使人得救"的方法，不会使人抽离原来的社群关系而进入一个陌生的群体。一个熟练的圣经故事高手，会让听众参与到一个发现的过程中；他不会漠视他们自己的故事，而是将这些故事与神的旨意相结合，再赋予新的意义和目的。

　　我曾在印度给准备作宣教士的人授课，发现他们相当擅长记忆圣经背景的细节，包括作者、时间、人物和地点等资料。他们学了这些有关圣经的资料后，确实能够教导真理，有时人们也有回应；但因为没有以圣经故事为基础，一旦出现其他更有趣的事物，足以满足感知的需求，人们很容易就转而追随别的教导或神明去了。

然而，当我们开始从头到尾讲述完整的圣经故事时，学生当中就出现了一些新鲜事。我教学生用归纳的方法学习故事，努力找出神在每个故事中的心意，再找出故事之间的联系，以及整个故事的中心思想。学生们的世界观和态度开始改变，他们感到自己有分于"女人后裔的使命"（该词概括了创世记3:15的要点），开始精神奕奕，觉得自己参与了一项重大的事业。

单单知道故事未必就能成为故事高手，学生必须不断练习讲故事，而只有了解受众之后才能有效地传讲圣经故事。所以我们鼓励学生用归纳法去研究福音对象，而不光是阅读一些有关该群体的书籍（通常由局外人所写）。他们得花时间泡茶馆、串门子，去发现当地人关心和感兴趣的事物，参加当地的庆典和传统活动，并常常祈求神赐给他们智慧和洞察力，帮助他们能以最有效的方式讲述圣经故事。

结果，学生们得出一致的结论，就是用印度文化当中常见的表达形式，例如歌曲、戏剧、图像或简单的讲述，将圣经以富有创意的故事呈现出来。有一个学生按照圣经制作了连环故事画册，一页一个故事，并挂在自己客厅的墙上；另一个学生则邀请朋友到他家里，每周进行一次讨论，后来竟然让好几位宗教领袖从头到尾听完了所有的圣经故事。有一个女学生经年累月地倾听她所服事的穆斯林妇女，分享她们自己的故事以及她们所关心的话题；最终，她们开始敞开心扉，于是她就分享圣经故事给她们听，大家都听得津津有味，不厌其烦，一听再听。

所以，让我们培养更多将整个圣经故事融会贯通的讲故事高手吧！只要我们帮助他们以归纳的方式理解、消化圣经故事，成为他们自己的故事；也鼓励他们花时间去了解当地人和当地的故事，使他们能够将这些故事与神的故事密切相连。这将使一个民族的世界观焕然一新！

作者是前线差传团契助理总干事，在美国普世宣教中心工作已经十六年。他领导了早期在加州帕萨迪纳和伊利诺伊州惠顿市的"宣教心视野"课程。他和妻子克利斯蒂，在印度服事了十二年，装备印度信徒开展跨文化事工。

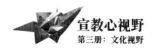
### 4. 圣经约75%的内容是故事

圣经中主要有三种基本的文学形式：故事、诗歌和思辨，但以故事为主（见下图）。

圣经的作者记载了几千年来的许多人物，上至君王将相，下至平民奴婢和为神而活的人、自私自利的人。这些故事像一面面镜子，反映出我们自己对人生的眼光，更反映出神对生命的看法。查理斯·科勒说得好：

> 圣经不是要揭示亚伯拉罕、以撒和雅各的人生怎么过的，而是要显明神的恩手在亚伯拉罕、以撒和雅各生命中的作为；圣经也不是为记录马利亚、马大和拉撒路三姐弟的故事，而是为了启示马利亚、马大和拉撒路的那位救主。[5]

诗歌约占圣经的15%。雅歌、箴言和耶利米哀歌等等，给读者和听众提供了多种途径来表达和体验深沉的情感。这部分的圣经既表露了人们内心的情感，也让人看出神的情感。

圣经余下的10%由思辨形式的著作

构成，使徒保罗受希腊化影响的著作属于此列，主要是逻辑推理和直线思考。西方人的教育多受希腊传统影响，包括笔者在内，宁愿把大部分的时间花在这种文学体裁上，而这是圣经中篇幅最少的。如果神主要是透过故事来向世界传达祂的信息，这对我们有什么启发呢？

### 5. 每一个主流宗教都使用故事来感化年轻人，劝服潜在的跟随者和教导信徒

佛教、伊斯兰教、印度教、犹太教和基督教都使用故事来发展（和规范）信众，确保其信仰代代相传，又用故事来区分真假信徒，行为好坏。故事可以建造忠诚的信徒群体！

保罗无论向犹太人还是外邦人传福音，都会讲一些相关的故事。保罗向未信的犹太人讲到自己文化英雄的故事，例如亚伯拉罕、摩西和大卫（徒13:13-43）；向未信的外邦人阐述关于创造万物的全能神的故事（徒14:8-18，17:16-34）；向成熟的信徒也讲相同的故事，但每一次的侧重点又不同。

何以如此？是不是因为故事能够挑战人们的基本信仰和行为，同时又不让人感到被冒犯和威胁呢？

### 6. 故事能再催生出讲故事的人

人们发现要重述一个好的故事并不难，不管这故事是有趣的小道消息，还是关乎耶稣基督的福音，我们每个人心里都喜欢聆听和传讲这样的故事。有好故事却闷着不讲，感觉就像眼睁睁地看着满满一罐最喜爱的饼干，却得忍着不吃一样；但人迟早都会按捺不住冲动，把饼干吃掉，

## 圣经的主要文学形式

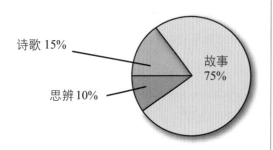

诗歌 15%

思辨 10%

故事 75%

把故事讲出来; 而故事一旦讲出来了就会口耳相传下去。

伊富高族的朋友因为听了故事, 能够充分地体会圣经人物的生活经历, 甚至在他们还没有归信耶稣基督的时候, 就已经把故事应用在自己的生活中, 还立即讲给家人和朋友听。故事能催生出讲述故事的人。

### 7.耶稣透过故事教导神学

耶稣从来没有写过一本系统神学的书, 但祂无论走到哪里都教导神学。耶稣的思维方式是全面的, 常常使用比喻的故事, 引导听众去反思、去用新的方式来思考人生。

听众借由耶稣的比喻了解到一些新的观念, 当他们深入思考这些新观念的时候, 就面临一个挑战, 是否要好好审视自己的传统? 这样对神有了新的印象, 进而转变自己的行为。故事促使人们与神相遇, 生命得以改变。接受耶稣所讲的故事、回应祂的挑战并不容易, 有的人要抛弃赖以谋生的小船、离开家人, 有的要怜悯外人, 有的要去寻求意义像寻找隐藏的珍宝, 甚至有的要把财物捐赠给穷人, 这其中没有一样是让人趋之若鹜的。但故事已经抛出各种可能性, 使听众很难原地不动, 无法停留在中间立场; 他们必须作出选择, 因他们已经遇见了神! 耶稣讲的故事里面有神学, 会在人们的理智、想像和情感方面引发冲突, 催促人改变效忠的对象。

## 结论

圣经以创造的故事开始, 以神重造的异象结束; 首尾之间、从阿拉法到俄梅嘎, 穿插了大量的故事。虽然故事占圣经的主体, 但传道人却很少使用故事作为传福音的策略。莉兰德·莱肯提出一些问题, 相当中肯:

> 为什么圣经中有那么多故事? 莫非故事揭示了一些别的文学形式不能表达的真理和经历? 若是如此, 是什么真理和经历呢? 与阅读关于神的属性的神学论述相比, 我们阅读神的故事时, 对神的形象有什么不同的认识呢? 哪些东西是经过我们的想像, 而不是经过我们的理性所传递的呢? 如果圣经用想像作为一种传播真理的方式, 我们岂不应该对想像传递宗教真理的能力表现出相同的信心吗? 若是如此, 那我们不妨尊重圣经里讲故事的特征, 阐释圣经时就从这里开始。[6]

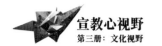

当代神的仆人，是不是该恢复"讲故事"这一世界上最古老、最普遍和最有力的艺术形式呢？我相信现在正是时候！我也相信，每位基督的工人在经过培训和实践后，必能把耶稣基督已经完成的故事好好讲下去，并且把听众未完成的故事也连接起来。

让我们把综览救赎历史的新旧约故事讲出来，为听众展开神的故事书（圣经）里一页页的故事情节（耶稣基督）；人们必然更容易明白福音，并更积极地向家人和朋友传福音！

## 附注

1. 有关故事讲述的更多情况，见拙著 *Passing the Baton: Church Planting That Empowers* (1993) 第11章，仔细考察了历代教导的模式，以及 *Reconnecting God's Story for Ministry: Crosscultural Storytelling at Home and Abroad* (1996)。这两本书都可以从克里威廉图书馆购买。
2. David B. Barrett, "Annual Statistical Table on Global Mission: 1997," *International Bulletin of Missionary Research*, 1997, 21(1):24-25。
3. Herbert V. Klem, *Oral Communication of the Scripture: Insights From African Oral Art* (Pasadena CA: William Carey Library, 1982)。
4. Herbert N. Schneidau, "Biblical Narrative and Modern Consciousness," Frank McConnel, ed., *In The Bible and the Narrative Tradition* (New York: Oxford University Press, 1986), p. 136。
5. Charles W. Koller, *Expository Preaching Without Notes* (Grand Rapids, MI: Baker Book House, 1962), p. 32。
6. Leland Ryken, "The Bible: God's Story-book," *Christianity Today*, 1979, 23(23): 38.

## 研习问题

1. 如果神是透过故事来向世界传达圣经的大部分信息，这对基督徒工人有什么启发？
2. 为什么讲故事能够促进跨文化沟通？

# 第72章　基督徒见证中的三种较量

柯瑞福（Charles H. Kraft）

作者自1969年起担任富乐神学院跨文化研究之跨文化传播和人类学教授。他与妻子玛格丽特曾在尼及利亚宣教。作者也从事教导和写作工作，其领域包括人类学、世界观、处境化、跨文化传播、内在医治以及属灵争战。本文改编自What kind of encounters do we need in our Christian witness? *Evangelical Missions Quarterly*, 27:3 (July 1991)，EMIS 出版，版权使用已蒙许可。

如今，即使在非灵恩派的信徒当中，谈论"权能较量"（power encounter）这一概念的人也越来越多。比起过去，我们现在对属灵能力更为开放，也放下了许多不必要的恐惧，好几所宣教士培训机构纷纷开设了有关权能较量的课程。不过，有些极端我们还是要提防。我在本文尝试提出一种处理权能较量的方法，与福音派一再强调的另外两种较量相平衡。

## "权能较量"的基本概念

"权能较量"这个术语源于宣教士兼人类学家艾伦·蒂皮特。在他1971年出版的《南波利尼西亚的群体运动》（*People Movements in Southern Polynesia*）一书中，蒂皮特观察到，在南太平洋地区的宣教史初期，人们往往是在"较量"发生的时候接受福音的，这些较量显明我们神的权能比当地异教神明的更大。"较量"通常发生在破除偶像的仪式中，原属于传统神明的男祭司或女祭司会破坏这些神明的偶像，宣告弃绝该神明的能力，然后承诺忠诚于真神，并且起誓今后要单单依靠真神来得到保护和属灵能力。

这时，祭司会吃下代表异教图腾的动物（如神龟），并宣告依靠耶稣的保护。看到祭司没有出现什么不良反应，人们就敞开心门接受福音。[1]蒂皮特的权能较量观主要的根据就是这些对抗的经验，以及圣经上非常经典的权能较量事例（如摩西与法老的对抗，出七～十二章；以利亚与巴力先知的对抗，王上十八章）。

近来，"权能较量"一语的使用更加广泛，包括医治、释放，或其他任何可见的实例，显出"耶稣基督比某个族群敬拜或畏惧的灵体、力量或假神更有能力"。[2]为神的国度从仇敌手中"夺取疆域"的概念，被视为是此类较量的基础。

根据这种观点，耶稣的整个事工可以视为神和仇敌之间的大规

模权能对抗，使徒及其后世的教会事工则可看作是耶稣给祂门徒"制服一切鬼魔，医治各样疾病"的权柄和能力（路9:1）的实践。中国、阿根廷、欧洲、穆斯林世界，以及几乎其他所有教会迅速倍增的地方，都传来此类较量的故事。

蒂皮特注意到，世界上多数人是权能导向型的，很容易经由权能的彰显归向基督。[3]关于信心、爱心、饶恕以及其他基督教真理的福音信息，都不可能像属灵权能彰显那样对这类人产生如此的影响。我自己的经历也印证了蒂皮特的论点！因此，跨文化事奉的工人应该尽可能学习权能较量在耶稣和我们的事工当中的地位。

## 耶稣基督对抗撒但

当然，讲到权能较量，宣教士要面对几个问题。其中一个基本问题是，如何把权能的问题和使用的方法，与我们传统上对真理和救恩的强调联系起来。我建议，基督徒的见证需要"三管齐下"。

耶稣与撒但不仅仅在权能方面较量而已，而是在一个更广阔的战线上争战。如果我们想要公允和平衡的遵守圣经，那么就必须同样关注另外两种较量：忠诚度的较量和真理方面的较量。我们需要关注新约圣经中这三种较量之间的密切关系，以下概括希望对读者有所裨益：

**1. 耶稣与撒但在权能上对抗**。这结果是产生真正权能的较量，把人们从撒但的辖制中释放出来，并把他们带进耶稣基督的自由里。

**2. 耶稣与撒但在忠诚上对抗**。结果产生向谁忠诚或委身的较量，把人们从错误中挽救出来，并把他们带进与耶稣基督的关系中。

**3. 耶稣与撒但在真理上对抗**。结果是真理与无知或谬误的较量，引导人们正确地认识耶稣基督。

世界各地有许多基督徒虽然已经将自己委身给耶稣基督，也接受了很多基督教真理，但还没有摒弃他们对先前所信奉的所谓灵界力量的委身，以及习惯做法。他们从前所追随的黑暗势力，还没有被耶稣的大能对抗和击败；因此，他们抱持"对两边忠诚"的态度，对真理的理解也充满混合主义的色彩。

所以，有些人误以为，如果举办医治和释放的大会来向人们显明基督的权能，那么就会有成群结队的人归向基督。他们以为，那些经历了神医治大能的人会自动向那能力的源头委身。

然而，我知道很多此类的大会几乎没有产生任何持久的归信者。为什么没有呢？因为很少有人注意到，引导人们经历过耶稣的权能后，还需要引导他们向耶稣委身。这些人习惯了接受能力，不管这能力来自于什么源头；因此，他们不觉得有必要离开自己曾经时常求问的力量源头，而单单委身给耶稣。

我相信，耶稣期望祂的能力彰显在我们的事工中，并放在重要的地位，就像在祂的事工中一样（路9:1-2）；然而，任何只提倡权能较量而没有重视忠诚较量和真理较量的做法，从圣经来看，都是不平衡的。在耶稣的事工中，许多看见过或经历到权能事件的人并没有归信祂；这应该使我们警惕，在布道中仅仅使用权能彰显的策略远远不够。

## 各种较量间的平衡

在耶稣的事工中，我们可以看到前面概括的三种较量。他的做法通常是以教导开始，接着是权能彰显，之后又回到教导，至少对门徒的方式是这样的（如路4:31及其后，5:1及其后，17节及其后，6:6及其后，17节及其后等等）。他呼吁人们要向父神和他自己忠诚，这一点或明或隐地贯穿在他的教导中。耶稣面对尚未跟随他的人，较多使用权能彰显；而对那些已经委身于他的人，则更注重真理的教导。

耶稣在彰显了重大的权能之后，就挑战人要忠诚委身，至少对最初的五位使徒是如此（彼得、安得烈、雅各、约翰，参路第五章；利未，参路5:27-28）。他的跟随者一旦通过向神忠诚的考验，随后就在学习和实践真理上继续成长。

第一世纪的犹太人和今天的大多数人一样，非常关注灵界的能力。保罗说他们是求神迹（林前1:22）。耶稣通常进到一个新的地区后，很快就开始医病赶鬼（如路4:33-35, 39，5:13-15，6:6-10, 18-19等等），这可能是耶稣根据群众关心的问题而接近他们的方法。耶稣差遣门徒到周边的城镇为他预备道路时，也吩咐他们使用同样的方法（路9:1-6，10:19）。

耶稣不愿意只是为了满足那些要求他证明自己身分的人而行神迹（太12:38-42，16:1-4）。这似乎看出来，他彰显权能不单是为了显现神的大能，还有个更高的目的。我认为他至少有两个更为重要的目标：其一，耶稣借着显示神的爱来表明神的属性，正如他对腓力说："那看见了我

的就是看见了父。"（约14:9）他白白地医病、赶鬼、祝福那些来求他的人，哪怕这些人不回头感谢他（路17:11-19），也不收回他所做的。他用神的能力来显明神的爱。

其二，耶稣带领人与神相遇有更重要的目的，就是使人忠诚委身。这从他对法利赛人的驳斥可以清楚地看到。法利赛人要他显神迹，但耶稣却说悔改的尼尼微人，将要起来给那些在耶稣时代不悔改的人定罪（太12:41）。经历神的权能也许既令人愉快，又给人深刻的印象，但只有在基督里对神忠诚才能真正使人得救。

## 三种较量的性质和目标

真理、忠诚和权能三种较量不是一回事，但各自都针对同一个具体目标，让基督徒的经历展开至关重要的过程。

1. 在**真理**方面与神相遇的较量，关注的是认识真理，其途径是**教导**。

2. 在**忠诚**方面与神相遇的较量，关注的在建立关系，其途径是**见证**。

3. 在**权能**方面与神相遇的较量，关注的是使人自由，其途径是**属灵争战**。

真理和认识与思想有很大的关系，忠诚和关系主要在于意志，而自由大多是情感的经历。

### 1. 真理较量

| 开始 | → 过程 | → 目标 |
|---|---|---|
| 意识 | 引导到知识 | 明白真理 |

在真理方面与神相遇需要运用思想，

意志会受到挑战。真理的较量，似乎提供了其他较量发生的处境以及解释的背景。耶稣教导真理，不厌其烦地引导听众越来越清楚认识神和神的计划，提升他们的知识；然而，在圣经里，知识是以关系和经历为基础的，并非只是哲学和学术概念。像其他两种较量一样，真理较量是个人化和经验性的，而不只是一些词语和头脑里的知识。

当我们把焦点放在知识和真理上时，可以使人们获得足够的认识，能够准确地解释其他的两种较量；例如，除非权能彰显与真理联系起来，否则就没有多大意义，甚或造成误解。要正确解释权能事件，有关权能的来源和原因的知识是必不可少的。我们需要这些知识，或许这正是耶稣在教导门徒的时候使用权能彰显的原因。

## 2. 忠诚较量

| 开始 | →过程 | →目标 |
| --- | --- | --- |
| 委身于耶稣 | 关系上成长 | 有基督的品格 |

忠诚方面与神相遇，涉及操练意志对主的委身和顺服。这是最重要的较量，因为没有对耶稣的委身和顺服，就谈不上属灵生命。

最初认识神时的忠诚较量引导人建立与神的关系。在我们的意志和神的旨意之间不断的权衡，让我们与神的关系变得越来越密切，也越来越有祂的样式；因为我们顺服祂的旨意，并且操练与祂亲密相交。最初的忠诚委身而带出与神的关系，跟真理紧密相连，因为这两样都是从真理的较量中发展出来的，更因为与神的关系

才是人类存在的真正缘由。

对神忠诚委身就要结出圣灵的果子，尤其是对神和对人的爱。我们要离弃对世界的爱和委身，因为全世界都卧在那恶者的手下（约一5:19）；我们要归向神，因祂爱世人，为世人舍己。当我们与祂的关系越来越亲密，自然会变得越来越像祂，有基督的形象（罗8:29）。

## 3. 权能较量

| 开始 | →过程 | →目标 |
| --- | --- | --- |
| 医治、释放 | 更多自由 | 胜过撒旦 |

权能较量在不同面向上丰富了基督徒的经历，它关注我们如何脱离仇敌的捆绑而得到自由。仇敌撒但弄瞎了人的心眼（林后4:4），限制人、妨碍人、残害人，千方百计阻挠世人忠于神和真理。虽然撒旦在各个方面攻击人，但似乎特别会在情感上摧残人；如果我们想要向基督忠诚委身，就需要在情感上得到自由。

一个人若曾经历过医治、释放和祝福，或曾脱离仇敌控制，最主要的结果是得到自由。然而，得释放的经验给旁人、观察者的影响又不一样；若是诠释得好，权能较量就能够传递有关神的权能和慈爱的基本真理，使看见的人发现神真是值得信赖，祂不仅愿意，而且有能力将人们从撒但毁灭性的辖制中释放出来。

但另一方面，基督徒在艰难时显示出的爱心、接纳、饶恕、平安，以及许多其他美德，就算我们不称这些经验为权能较量，也同样可以吸引和带领人们信靠神。这一切都见证神的存在和属性，祂充满慈

爱，愿意赐人丰盛的生命，救拔人脱离仇敌的辖制！

## 权能较量：观察者的角度

开始　　→过程　　→目标

吸引人注意　彰显　　信靠神

## 各种较量交互作用

宣教见证需要三管齐下，而不是三种较量个别分开作用。我们从这个分成三部分的圆圈可以看出来（见下图）。

人们需要脱离仇敌的辖制，以开启心眼，（1）接受和明白真理（林后4:4）；（2）意志得到释放；（3）将自己委身于神。若非持续地委身，就无法明白和应用基督教的真理，也不能够经历神的权能；若非不断运用神的权能来脱离仇敌的辖制，也不能持守真理和保持忠诚。我们在生活中需要不断地在这三个方面来经历信仰的力量。

下页的图表更加详细地说明了这三种较量在基督徒的生活和见证中的交互作用。这个过程分为三个阶段，第三个阶段产生的结果就是对那些处于第一阶段初期的人作见证。这个阶段中，人们在撒但的

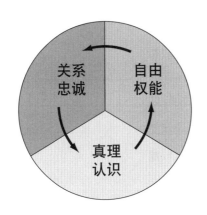

辖制下，处在无知和谬误之中，对非基督教的事物忠诚。经过对真神权能的认识和经历，他们脱离了辖制。从前仇敌蒙蔽他们的心眼，削弱他们的意志，但现在他们向真理敞开心灵，然后因着对真理的认识，向主忠诚委身，他们有足够的认识，知道该如何行事为人；加上受到挑战，促使他们将自己委身于基督。

在第二个阶段中，人们已经建立对耶稣的忠诚，但他们还需要继续进行属灵争战，击败仇敌不断的骚扰和攻击，而获得更大的自由。他们也需要不停地接受教导和挑战，才能更深地委身和顺服。经过在这三个领域中持续的操练、经历，他们与神和祂百姓的关系也随之加深。

在第三个阶段中，这种不断成长的关系将产生权能上的较量。人们借着祷告来打破仇敌迷惑、骚扰、致病、鬼附等类的权势；在这些经历的同时，一定有真理的学习及对主忠诚的认识，挑战信徒更深地委身和顺服，特别是受激励向那些处于第一阶段的人作见证。

基督徒除了成长之外还要作见证。耶稣在祂事工的最后阶段，对门徒与祂之间的关系有诸多教导（如约十四～十六章），也提到赐给他们权柄和能力（徒1:8）；都是将权柄和能力与见证紧密地联系起来（如太28:19-20；可16:15-18；徒1:8）。

耶稣嘱咐门徒在开始作见证之前要等候属灵的能力（路24:49；徒1:4），一如耶稣展开事工之前，受洗、等待圣灵的能力（路3:21-22）。只有当我们有了圣灵带来自由和启示真理的能力之后，我们才算是装备好去作见证（徒1:8）。

## 寄语福音派人士

因为撒但是欺骗和伪装的高手，我们必须要与它较量，与它对抗，不能视而不见。要知道，当对抗撒但时，那在我们里面的比那在世上的更大（约一4:4）！我们感谢神，因为耶稣已经"胜过了一切执政掌权的，废除了他们的权势"（西2:15）。但我们仍在争战中，神命令我们穿戴全副军装，对抗"天上的邪灵"（弗6:11-12）；所以，虽然我们已经知道这场战争的结果如何，仍然要努力去完成每一场战斗，并且要了解敌人，知道如何与它争战。

综观全球的宣教工场，我们发现很多地方的基督徒仍然抱持墙头草的态度，许多信徒，甚至牧师，仍然去寻求巫师、祭司和其他灵媒的帮助。与此同时，以权能布道和见证见长的灵恩派和五旬节宗教会，在全世界大部分地区迅速增长。

许多福音派信徒把信仰局限在真理和知识，极少关注权能较量这领域。但是当我们走出去，向注重灵界的社会传福音和作见证时，往往发现单独依靠真理知识的方法，难以使人坚定而持久地归信基督。

撒但伪造真理，灌输错谬的忠诚，也给人能力。我们的信仰好像箭袋里装了三支箭，可是福音派宣教士一般只有两支

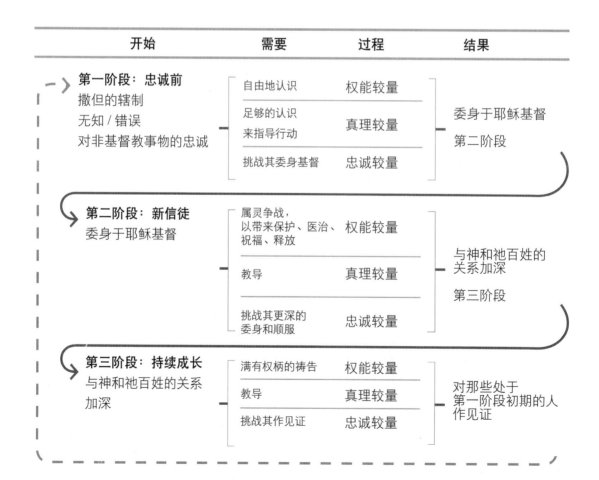

| 开始 | 需要 | 过程 | 结果 |
|---|---|---|---|
| **第一阶段：忠诚前**<br>撒但的辖制<br>无知／错误<br>对非基督教事物的忠诚 | 自由地认识<br>足够的认识<br>来指导行动<br>挑战其委身基督 | 权能较量<br>真理较量<br>忠诚较量 | 委身于耶稣基督<br>第二阶段 |
| **第二阶段：新信徒**<br>委身于耶稣基督 | 属灵争战，<br>以带来保护、医治、<br>祝福、释放<br>教导<br>挑战其更深的<br>委身和顺服 | 权能较量<br>真理较量<br>忠诚较量 | 与神和祂百姓的<br>关系加深<br>第三阶段 |
| **第三阶段：持续成长**<br>与神和祂百姓的关系<br>加深 | 满有权柄的祷告<br>教导<br>挑战其作见证 | 权能较量<br>真理较量<br>忠诚较量 | 对那些处于<br>第一阶段初期的人<br>作见证 |

箭；结果，福音工作上一遇到骑墙派和有名无实的巨石，就举步维艰了。

我们挑战人委身于耶稣基督，以此来对抗他们对假神和灵界的忠诚。但是当人们遭遇疾病、不孕、久旱和洪水时，我们往往把医院、学校和现代农业当成解决问题的不二法门。这些问题对他们（以及圣经）来说，有些基本上是属灵的问题，我们却往往提供世俗的解决方法。

我们有基督教了不起的真理，可是与撒但的"伪真理"进行较量时，我们运用真理的方式往往很抽象，以至于听众很少看到真理在我们的生活中得到验证。在大多数情况下，这是因为宣教士和当地基督徒对科学真理的兴趣远远超过圣经真理。

无论是对这样的人还是对我们来说，缺失的要素正是"第三支箭"，就是真正的新约讲的能力，是每日经历神的同在，祂随时随刻都在施行世人眼中看为稀奇的事！只有真理和委身还不够，我们必须以神的权能对抗撒但的赝品。普世宣教若要获得成功，这三种符合圣经、与神相遇的较量缺一不可。

## 附注

1. 蒂皮特（Alan Tippett），*People Movements in Southern Polynesia* (Chicago: Moody Press, 1971), p. 206。

2. 魏格纳（C. Peter Wagner），*How to Have a Healing Ministry* (Ventura, CA.: Regal Books, 1988), p. 150。亦见John Wimber, *Power Evangelism* (New York: Harper-Row, 1985), pp. 29-32, 及Charles Kraft, *Christianity With Power* (Ann Arbor: Servant, 1989)。

3. 同注1，页81。

## 研习问题

1. 在你的信仰成长经历中，你最重视哪一种"较量"？是真理、忠诚，还是权能？哪一种最受忽视？

2. 这几种较量是相互独立，还是相互依赖的？在一个领域里的成长会影响到其他领域吗？

# 第73章 宣教士的位置和事奉方向

何保罗 (Paul G. Hiebert)

作者曾任三一福音神学院宣教和布道系主任以及人类学和宣教学教授，之前曾在富勒神学院宣教系教授人类学和南亚研究。他曾在印度宣教，与妻子弗朗西丝合着了十本书。其代表作有《文化人类学》、《宣教士的人类学心得》，以及Case Studies in Mission。本文改编自作者和Eloise Hiebert Meneses 合着的Incarnational Ministry: Planting Churches in Band, Tribal, Peasant, and Urban Societies (1995)。版权使用承蒙许可。本文也改编自葛伟骏等人所着Crucial Dimensions Evangelization (1976)。版权承蒙美国克里威廉图书馆许可使用。

人类是具有社会性的动物，通常在同胞的陪伴当中出生、长大、结婚，连死后的安葬也由其他人安排。人与人之间的关系由社会结构组织起来，形成群体、机构和社会。

我们可以从两个层次来研究社会：人际关系和整体社会。研究宣教在这两个层次中的发展，可以帮助我们深刻理解教会的增长。

## 在社会中找到位置

一旦宣教士在异文化中安顿下来，不论他们的具体任务是什么，都要涉及到许多人际关系。这些关系有什么特征呢？

### 形成双文化的桥梁

宣教士与当地社群里的个人深入结交，或作为朋友，或成为同工，这种关系有时候被称为"双文化桥梁"，在其中，双方都越加了解对方的文化。这桥梁的一头是当地人，他们为宣教士翻译语言、解释风俗习惯和新文化的表达形式，同时也帮助同胞了解和接纳这些外国人。于是这种关系为宣教士学习文化和在新的社会中找到位置打开了门；因而，在某种程度上双方都变成了双文化的人。

双文化桥梁不只是一个交流的管道，它本身还是一种新的文化。宣教士的住家、机构和行为方式，一方面反映出本国的文化特点，另一方面也多少要适应所处的文化。但桥梁现象的影响是双向的，因为作东道主的这一方也会接触到宣教士的文化。或许这当中最重要的，就是要从文化的角度来理解宣教士的定义和扮演的角色。

### 对角色的认知

遇到初来乍到的宣教士，人们总是喜欢问："你是谁？"但人们其实是想知道："你是来干什么的？"人们想弄清楚这些新来者的身分和角色，好知道如何与他们相处。这时如果你这样回答："我是个宣教士"，可能对当地人来说毫无意义。这固然表明了你的身分及角色，但只有宣教士本人明白，甚至在世界许多地方，这个词也许还带有负面意义。

不同的语言互有差异，同样，一个人的角色在这个文化里可能也与别的文化大相迳庭。宣教士刚进入一个新文化时，当地人会观察他们，根据他们的言行举止判断他们的角色，将宣教士归类成某一类型的人，并期待他们应该有相应的行事准则。就如有一个外国人来到我们这里，自称是一个"托钵僧"（sannyasi）；若光看他的外表，我们也许会猜测他是一个嬉皮，然而，他在思想和文化上却是一个印度教的圣徒。

在印度，男性宣教士被称为"朵拉"（dora）。这一称呼原先是用来指富裕的农民和小国的君主。这些"小统治者"买下大片土地，筑起庭院围墙，建造一排平房，拥有仆人，他们还为自己的妻妾建造独立的小屋！男性宣教士来到此地时也买下大片土地，筑起庭院围墙，建造房屋，拥有仆人；他们也修建独立的小屋，不过是给驻扎在同一院子里的单身女宣教士使用。

宣教士的妻子被称为"朵拉撒尼"（dorasani）。这个词原来不是称呼朵拉的妻子，而是指经常坐在他的马车或汽车上随行的情妇。而朵拉真正的妻子事实上是与社会隔离，不得在公众前露面的。

问题就出在跨文化性的误会。宣教士认为自己是一个"宣教士"，但没有意识到传统的印度社会里没有这样的角色；为了能与他相处，人们不得不在自己的角色体系中为他寻找一个角色。谁想到，很不幸，宣教士往往没有察觉到当地人是这样看待他们的。

过去，人们习于套在男性宣教士身上的第二种角色是"殖民统治者"。因为他看起来像殖民统治者一样，是白人，而且他们有时也会利用这个便利；他不用与当地人排队就可以买到火车票，可以影响政府官员。的确，他使用这些特权通常是为

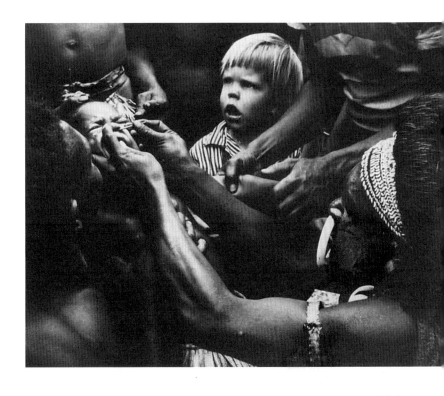

附篇
## 73-1 文化冲击：从头再来

何保罗 (Paul G. Hiebert)

经过长时间的准备，你终于成为宣教士，即将被差派出去，这多么激动人心！在教会举行的差派礼中，你是众人注目的焦点，接受盛大的欢送，接着是机场令人兴奋而伤感的离别。长途飞行之后，那边有朋友来接你，令你突然身处异国的不安消除不少。但是几个小时之后，问题接踵而至。在餐馆里你看不懂价目表，不过无所谓，就随意点个不认识的东西碰碰运气吧！盘子里的食物有一半你认得，另一半看起来却无法入口，是炸昆虫还是烤羊肠呢？接着去市场买橙橘，但你说的话，卖水果的女贩连一个字都听不懂；该付钱给她了，但你所能做的，就是拿一把奇奇怪怪的硬币出来，任她挑选，然后你知道自己受骗了。坐公共汽车要到城另一头的家去，结果却迷路了；你不由得开始想：我接下来十年都得这样坐公车回家呀！生病了，可是当地医生根本不知道如何治疗你这美国人的疾病。最后，你瘫坐在床上，一心想要回家！不明白怎么会陷入这样的境地呢？展开了几个星期的海外「宣教」之后，你怎么向教会交代呢？说「我完成任务了」？还是「我做不下去了」？

其实，你的反应完全正常！每一个人进入一个新的文化时都会经历到文化压力。一般旅游的人不会真正经历到文化冲击，因为他们在观光之后就回到美国风格的酒店中；对来到美国的外国人来说，感受也是一样的。文化冲击不是对贫穷或卫生条件落后作出的反应；文化冲击是一种迷茫的感受，发现原来已经学会的所有文化模式，现在都变得毫无意义了。对于当地生活，我们还不如小孩子懂得多！一切必须从头再来，学习生活中的基本技能，包括如何说话、用餐、购物、外出，以及数不清的事物。当我们想到这里将成为自己的家园，往后将有一段很长的时日在这里生活，文化冲击就真正开始了。

### 文化冲击历程图

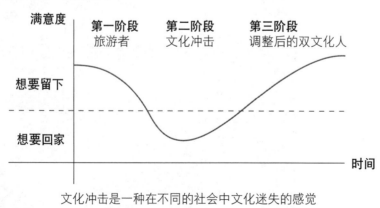

文化冲击是一种在不同的社会中文化迷失的感觉

了帮助穷人或受压迫的人，但这样做，会被视为与殖民统治者同类。

问题是，无论是像地主也好，还是像殖民统治者也好，这些角色都不可能与人产生密切的个人关系或友谊，而关系和友谊在分享福音上才是最有效的。这就是为什么宣教士的角色往往导致他们与当地人的关系相距甚远。

那么，宣教士可以选择什么样的角色呢？这当然没有简单的答案，因为在每一种情况下，他们都必须从他们目标文化的角色体系中做选择。最好，一开始他们像个学生，虚心向人求教当地的风土民情，了解当地人的社会角色体系之后，再选择一个有助于传福音的角色。但是在选择角色的时候，宣教士必须谨记，人们对他们所选的角色都有一定的期望，会根据他们对这个期望实现的程度来评判他们。

## 角色与当地基督徒的关系 （个人）

宣教士要与当地基督徒相互配合，这些关系既可能使双文化桥梁简单化，也可能使之复杂化。同为基督徒，大家拥有共同的信仰和认识，这会使沟通变得较为容易；然而，当地信徒对宣教士的期望，可能包括像父母与子女、老师与学生，或捐助者与接受者这样的纵向关系，期望宣教士能在这些配对的角色中居主导地位。这一点最令人头疼，因为宣教士虽然千方百计想成为仆人的角色，却往往因为自己总是不符合当地人的期望而感到沮丧。

从结构的角度来看，纵向角色中俯就式的交流当然不是最有效的交流，因为很少得到从下到上的回馈；下属遵从上级来的命令，但往往没有消化信息，使之成为

自己的信息。从基督教的角度来看，这种角色与基督的典范极不相符，很可能会导致人们为了私利而利用别人。

宣教士可以采取什么样的角色呢？应在社会结构中处于什么位置呢？在此，让我们回到圣经中寻找仆人的模式。我们必须要强调宣教士团队与当地弟兄姊妹是平等的，大家没有“我们”和“他们”两种人的分别，要信任当地的弟兄姊妹，就像信任其他宣教士一样。我们愿意接纳他们作为同事，甚至作管理我们的上司。

正如任何机构必需有领导才能运作，教会也需要有领导。领导职位不应以文化、种族、甚至财力为基础，而是根据神所给的恩赐和能力。合乎圣经的领导者具有仆人的心志，寻求他人的益处，而不是自己的益处（太20:26-28）。领导者不是必不可少的，在这一点上宣教士特别要注意，因为宣教士的任务是建立当地教会，一旦他们的存在开始拦阻教会的增长，他们就应该离开。

# 社会结构与教会福音运动 （集体）

跨文化事奉的仆人需要了解特定社会内的结构、群体和制度。这个社会是如何组合在一起的？当福音开始兴旺并且引起社会的变化时，社会群体之间将如何共处？在此，我们用几个例证来阐明这个观念的应用和益处。

## 部落社会

在许多部落里，社会群体在个人的生活中扮演着重要的角色，远超过对强调个人主义和自由的西方社会的影响。在部落

中，人在一个庞大的亲属群体或宗族中出生和成长，这些亲属群体或宗族由源自某一位远祖的所有男性后裔，以及这些男性再衍生的所有家族所组成。

若要感受此类社会，可以把自己想像成与你所有同姓的亲戚一起生活的情形。所有比你高一辈的男人都是你的"父辈"，你违反家规和习俗的时候，他们都有责任管教你；那一辈所有的女人都是你的"母辈"，她们都会照顾你。你宗族中

---

附篇

## 73-2 弥合差距

唐纳德·拉尔森 (Donald N. Larson)

宣教士对自己角色的看法，往往与所服事的群体对他们的看法有很大差距。要弥合二者之间的差距，宣教士除了需要重新设定旧的角色，还必须规划新的角色。宣教士平生第一次不得不学习作一个外国人，得以新的方式来作别人的朋友或邻居。要弥合差距，宣教士就必须根据他们进入的那个文化的标准，而非自己原本文化的标准，来衡量该如何做事。

多年以前，在东非举办的一个语言和文化的研讨会上，有一位宣教士问我对于大象有多少认识？我一头雾水。接下来，她更具体地问道："当一群大象靠近一个被另外一群大象围住的水坑时，会发生什么事？"我还是回答不知道。于是她就解释，第二群领头的大象会转过身去，背向水坑倒退着过去，等原本围着水坑的某两头大象注意到那只大象的背部时，它们就会让开，腾出地方来。这就等于向第二群的大象示意，第一群的大象要准备好让出地方来，使它们也能靠近水坑。我问她，这代表什么意思呢？她简明干脆地说："我们没有退着进去！"当今世界各地不断发展的宣教行动要求宣教士"退着进到"各社群当中。

"退着进去"是什么意思呢？作为一个外来者，宣教士如果希望能影响别人，那就一定要找到某种方式，得到当地社会的认可和接纳；有些角色能帮助他达成这个目的，有一些则不能。宣教士的首要任务是辨别哪些角色是最适当、最有效的，总之他必须做到让当地居民对他在这社群里有好感。

宣教士不得不知道，若想使自己受到接纳，必须使当地居民看出他真有谦虚受教的心。想要切入他们当中，先成为一个学习者吧！这相当有用。在虚心学习的过程中表现的依赖和无助，传达了认同与和好的讯息，这正是福音中非常明确的信息。宣教士应该以一个真诚的学习者（以学习语言和文化作为开始）的身分进入一个新的社群，谦卑地接近当地居民，尊敬那些教他的人。这就是为什么说，学习者是一个"退着进去"的人。

作者曾担任 Link Care Center 跨文化生活和学习的资深顾问，也曾担任明尼苏达州圣保罗市伯特利大学（Bethel College）的人类学和语言学教授，在之前的二十五年间担任多伦多语言研究所（Toronto Institute of Linguistics）所长。

所有与你年龄相仿的人都是你的"兄弟"和"姊妹"，这些"兄弟"的孩子也都是你的"儿子"和"女儿"。

在部落社会中，强大的亲属关系网为个人提供了巨大的保障。你生病或缺食缺粮，他们会为你提供你所需要的东西；你离家上学，会资助你；你需要钱买田或娶妻时，会帮你张罗；你受到攻击，会出面为你而战。反过来，这些亲族也对你有许多要求；你的土地和时间不完全属于自己，他们要求你把个人的资源挪出来与宗族中那些有需要的人分享。

在这些部落社会中，重要的事情一般由生活阅历丰富的长辈来决定，婚姻这类人生大事尤其如此。在我们的社会中，年轻人一"坠入爱河"就往往急着决定结婚，并没有仔细查验对方在社会、经济、心理和属灵等方面是否适合自己；可是，在大多数部落中，年轻人的婚事是由父母安排的，他们依据自己丰富的阅历，预期婚姻可能的危险和容易犯的错误，给予意见，不像年轻辈受当前短暂的感情依恋所左右。父母通常对所有可能的对象经过长期、仔细的打听评估之后，才决定孩子的配偶。在这种型态的婚姻中，爱情是在双方共同生活的过程中培养出来的。

宗族和部落的事情也由长老来决定。家长可以表达自己的观点，但如果希望能继续留在部落中的话，他们就必须遵从长老的决定。

对基督教的福音来说，这种类型的社会组织引出了一个必须重视的问题。我们以林巴尼（Lin Barney）的经历为例：他受邀去向马来西亚的婆罗洲高山里的一个村庄部落传福音。经过艰难的长途跋涉，他终于到了这个村庄，向聚集在长屋里的人群讲道。那天，他分享的信息是"耶稣的道路"，直至深夜；最后，长老们宣布，他们要对这个新的道路作一个决定。宗族成员先进行小组讨论，再由宗族领袖开会作出最后的决定。结果呢？他们决定一起成为基督徒——整个村子的人都要！因为这个决定是大家一致的意见。

现在，宣教士该怎么办呢？他们要把这些人都打发回去，让他们针对决议结果作出个人的决定吗？我们必须要记得，在这些社会里，没有一个人会想要撇开长老的意见私自结婚；那么，指望他们凭自己独立作出一个关于信仰这样更为重要的决定，有可能吗？可是，宣教士应该相信他们所有人都是重生的基督徒了吗？毕竟，有些人可能并不想要成为基督徒，而且还会继续崇拜原来的神明啊！

群体决定并不表示这里面每个成员都成为基督徒，但这的确意味着，这个群体愿意接受进一步的圣经教导。宣教士的任务尚未完成，这仅仅是开始，宣教士现在必须将整全的圣经信仰好好地教给他们。

## 部落社会的社会关系

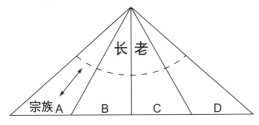

- 强调亲属关系作为社会关系的基础
- 强烈的群体取向，注重共同责任和集体决策方式
- 最低限度的社会等级制度
- 纵向交流

此类群体归主运动并不罕见，事实上，过去教会的增长很大一部分都是以这种方式实现的。本书某些读者的长辈可能也是因为这种方式信主的。

## 农耕社会

在农耕社会中，社会组织和社会互动方面表现出社会阶层、群体和种姓等特征，比起延伸的亲属关系更为明显。权力多半集中在少数精英手中，而这些精英往往是平民遥不可及的。

农耕社会由不同的群体组成，往往有不同的阶层、文化和语言。农耕社会呈现多元化，由不同的群体构成，与大多数部落社会不同，后者是一元化的，由同一群体构成。

同一个村庄里有几个群体的现象，对建立教会有着重要的含义，这里出现一些重要的问题。首先是教会的合一问题，如果我们在某个群体中建立教会，其他群体的人也许不愿意或不被允许参加；社会距离像地理距离一样重要，人们的住处也许近在咫尺，但其社交距离却远隔千里！

以印度为例，印度的村庄分成许多阶级或种姓。其中很多阶级，比如祭司、木匠、铁匠、理发师、男洗衣工、陶匠和纺织工都是与某种工作或服务相关联的。

种姓也分为洁净阶层和贱民。贱民在仪式上具有污染性；从前，洁净种姓的人接触贱民就会受到污染，必须用一个净化的沐浴仪式来恢复洁净。因此，贱民不得不住在主要村庄之外的小村子里，且不得进入印度教的寺庙。

起先福音传到他们当中是在一个种姓内传播，不是在两个种姓中同时开展。最早一批信主的是洁净阶层的人，后来有许多贱民也接受了基督，洁净阶层的人就开始反对了，他们不愿意与贱民有交往。宣教士还是来者不拒，并要求他们都加入同一个教会，结果，许多洁净阶层的人又回到印度教去了。

这里的问题不是一个简单的神学问题。有许多高种姓归信的人是真诚相信福音的，即使在今天，还是有很多人暗地里作基督的门徒。

这其实是一个社会问题，社会是千姿百态的，人们往往难以与明显不同于自己的人密切交往和通婚。我们能指望人们在归信的时候改变他们根深蒂固的社会行为方式吗？换句话说，应该期待他们都参加同一间教会吗？改变他们的社会习俗是基督教增长的一部分吗？或是应该允许他们形成不同的教会，再经过进一步的教导之后，期望他们将来能合成一体呢？

于是，一些印度人认为，不需要求不同的人加入同一间教会，就为洁净种姓和贱民分别建立了不同的教会；他们成功

## 农耕社会的社会关系

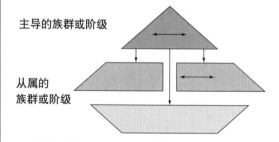

主导的族群或阶级

从属的族群或阶级

- 强调亲属关系作为社会关系的基础
- 强烈的群体取向，注重集体决策的方式 群体之间的等级
- 族群内部的交流是横向的，族群之间是纵向的

地赢得洁净种姓的人归主，但招来很多责难。反对者认为这种做法违背了神的旨意，责问说，难道应该以阶级和种姓制度如此堕落的人类社会结构来划分教会吗？那么教会的团结，福音与圣灵的合而为一从何体现出来呢？他们声称，如果不从一开始就建立不同群体之间的团契桥梁，教会将屈服于社会制度，反而促成这些制度所反映的隔离和压迫。

## 上层还是底层——先向谁传？

面对以声望和权力来划分等级制度的群体社会时，我们会遇到第二种左右为难的情况。我们应该先去接触谁：占统治地位的精英、中产阶层的平民，或贱民、农奴、穷人和其他在社会底层的边缘人群？

许多宣教士主张先找统治阶层，理由是，如果群体的首领变成了基督徒，其他人就会群起效尤，因为精英人士是人们的典范。但是，这一策略在农民社会中成效甚微。首先，农民社会中的精英比底层阶级和底层种姓更敌挡福音；其次，即使统治层的群体有人成为基督徒，也很少愿意与底层阶级结交，向他们传福音。也有一些宣教士先到贫穷和被压迫的人当中，这种情况经常发生，倒不是宣教士刻意计划，而是因为被压迫者对福音有广泛的回应，福音对他们特别有吸引力。

过往许多农民社会中没有中产阶级，至少没有当今意义上的中产阶级。然而，随着现代化的普及，受过教育并且相对独立的中产阶级，已经开始在许多农村社区出现。近年来，越来越多的福音派宣教士到他们当中建立教会，因为他们对改变持开放的态度。

## 城市社会

现代城市的规模庞大而复杂，很难一概而论，需要用宏观和微观两种不同的角度，来理解这个我们称之为城市的复杂、混乱的庞然大物。

### 宏观鸟瞰

各地城市因其历史、文化和位置不同而差别甚巨，各自的存在功用也不尽相同，例如华盛顿特区是政府中心，麦加是宗教中心，孟买是商贸中心，墨西哥阿卡普尔科（Acapulco）则是旅游中心。不过，尽管千差万别，大多数城市还是具有一些共通性。

要了解城市，我们必须得先看规模大小对人类组织的影响。一、两千万人能够共同生活在一起，不可能没有非常复杂的社会、经济和政治系统。人属于家庭、社团和社群，这些都影响到城市的政府结构，而城市政府机构又属于规模更大的省和国家结构的一部分。

城市是权力、财富、知识和专业技能的中心，既主导又依赖于其周边的农村和部落社区，从那里得到食物供应和其他原物料。作为中心，城市既吸引有钱人，又吸引穷人，成群的人又吸引更多的人涌进城市。

城市规模庞大、人际复杂、权力集中，自然使内部产生等级分化。有钱人和穷人、强权与弱势，高位与低贱之间的差距令人不可思议。现代化的企业老总跟其他企业高阶主管打一场高尔夫球所能赚到的钱，就比自己公司里最低收入的员工辛苦两、三年赚到的钱还多！

城市的另一个重要特点是多样性。城

市吸引各式各样的人涌入，这些人又形成了各自的文化群体。在城市中，人们还是喜欢跟自己群体内的人来往，而与其他人维持泛泛之交。

### 近距观察

这带我们进到城市的微观，好像近距离看街景图。人们基于种族、阶级、文化和居住上的差异形成不同的群体，大多还保留着自己的语言和文化。洛杉矶有超过七十五个不同的种族社区，公立学校授课的语言就有七十多种。

阶级出现在农村，但在城市里，阶级演变成一个一个区块，聚居着文化习俗、价值观和利益取向相似的人，拥有迥然相异的生活方式。除了经济因素之外，还有围绕着职业、宗教或诸如汽车、艺术、体育等特殊兴趣而产生的亚文化群。阶级之间的边界是可以穿越的，人们可能进入更高或下降至较低的阶级，这一点与种族群体有显著的不同。

不是所有在城里生活的人都有城市人的心态，许多农民只在城市里短暂停留，就算搬迁到城市里居住，还保持着农村人的生活型态。他们在城市里形成城中村，试着维持原来农村的生活方式。这些人迟早会变成真正的城市人，但那也许要经过几代的时间。

## 城市的社会组织

看过城市社会的一些普遍特点之后，我们再来详加探究其社会组织。

### 角色

在农民社会中，大多数关系在本质上是多元性的；但在城市环境中，人们之间的关系则是单一性的。

在多元关系存在的地方，人们会在许多不同场合以多种不同的身分出现。多元关系的好处是人们可以深入全面了解对方，人们之间的关系较为持久，会带来强烈的社群感。

在单一关系中，人们主要根据见面时所处的角色来交往，这个角色可以是同事、家人、医生或者邻居等等。这些关系一般维持不长，比较肤浅，主要是为了特定目的，会给人一种疏离感。

### 家庭

一般来说，城市里较强调核心家庭，而非延伸家庭。城市的流动性、个人主义和自由主义侵蚀着家庭的稳定性。离婚和再婚远比大多数农民社会常见，结果产生了很多单亲家庭和复合重组家庭。尽管如此，家庭在城市生活的私人领域中，仍然继续发挥着主导作用。

### 关系网

关系网是城市里中层社会组织的一个主要形式，借此，消息可以迅速传播。大多数城市居民都会发展出自己的核心网路，由他们喜欢交往的人、可以讨论个人问题和分享社会娱乐的人群组成。在农民社会里，类似的关系网以亲属关系为基础，但在城市环境中，人们往往喜欢与有类似职业、兴趣、阶级和民族性的人交往，亲属关系倒是其次。

### 社团和机构

社团和机构是城市公共生活的主要社

会结构，因为很灵活，能将许多不同的人组织起来。在复杂的城市社会中，这种结构远比亲属群体有效率。

社团是人们因着共同的兴趣或事业而非正式关系组织起来的团体，其基础可能是友谊、性别、年龄、共同的爱好、某个任务或目标、声望等等。自愿组成的社团通常会设计标志来表明他们的身分，增强其成员的归属感；又协调各种任务，划分不同角色（例如会长、财务主管），发展自己的文化和规范，并且透过不同程度的组织力量来执行。

## 城市个人主义的社会

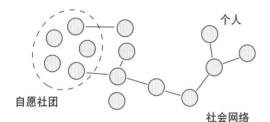

**个人**

**自愿社团**

**社会网络**

- 强调个人主义和个人决策
- 社会组织以自愿社团、网络和地理划分为基础
- 多元化和等级
- 除了网络之外，还使用大众媒体

非正式的社团可能会逐渐发展成正式的机构，成为城市大部分公共领域里的主要社会组织形式。这些社会组织包括政府单位、银行、学校、教会、企业、医院等等。各个机构皆拥有自己的语汇、角色、网络、社会等级制度、权力结构、经济资源、信仰系统、象征标志和世界观。简而言之，每个机构都像一个运转生息的亚文化群体，有其独特之处。

## 城市中的教会

我们无法详尽地探索在城市环境中建立教会的方法。本文的目的在于，让我们认识需要学习和了解在具体城市环境中如何开展事工，也需要敏感于人们的社会和文化背景如何影响人们听到福音，进而相信福音。

## 教会和多样性

为了向城市中各种不同的群体传福音，就需要多种的教会。一般教会偏好服事与自己同类的人，而城市发展快速，因此很容易造成整个族群和社区都没有教会的现象；这时一定要有人站出来审视整个城市，确定哪里迫切需要新的教会。

建立教会必须从认真的调查研究开始，否则我们很难看出哪些社会和文化力量对我们的工作有帮助或有妨碍。研究城市的人口背景，帮助我们选定具体的位置和社群，再在这选定的社群，进行族群分析；这个调查研究和预备的过程应当包括检查我们关于族群和工作可能有的先入为主的成见，因为我们根深蒂固的态度往往是在城市里建立教会的最大障碍。

还有一个巨大的困难，就是关于教会定义的成见。我们往往认为，教会必须具有我们所熟悉的农村和郊区教会的特点，导致我们总想在城市环境中建立农村式教会。如果想要在城市里有效地建立教会，就需要先打破自己关于教会的陈腐之见。

没有任何一种教会的形式可以作为所有其他教会的模式，在不同的社区，教会需要采用不同的形式。大型教会主要吸引寻求参与多项事工的中上层社会人士；街

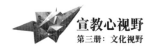

头事工和救济机构主要向穷人和街头流浪者传福音；小教会和家庭团契则吸引那些寻求强烈社群归属感的人。

许多城市教会发现应该要重视多元合作。例如，不同的族群有各自的聚会，但这些聚会彼此配搭，使用同样的设施，或者在一个多民族的教会中，有几个交叉的聚会。在教会生活中，每个小团体都占有一席之地，有发言权，而且各自在所属的聚会中得到培育和喂养。

## 贫穷阶层教会的增长运动

现今，贫穷阶层的教会正不断建立新的堂会。在这样的教会增长运动中，当地领袖的参与是绝对必要的，最有效率的领导来自进入信徒的日常生活之中。这些当地领袖有异象、热情，有组织能力、有带领的恩赐。虽然他们当中大多数人在经济上必须自食其力，但热心爱主，愿意事奉。他们需要圣经培训，但只能以个别的门徒训练、夜校课程或常态性的研讨会等方式进行。

许多在贫穷阶层中兴起的教会特别强调神迹奇事，人们寻求看得见的生命转化大能。他们特别需要经历祷告的大能，和神超自然的医治和奇妙的供应。所有的医治都是神的医治，是奇迹；即便有一些医治看起来稀松平常，我们都必须存着感恩，并且肯定这都是神的奇妙作为。

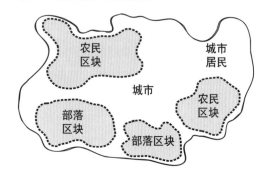

城市中的部落和农民社群

## 建造社群

城市是一个容易让人产生疏离感的地方，这里的居民虽然每天都接触到大量的人，但是却觉得自己不属于任何紧密的社群。当城市的环境忽略个人的需要，教会便可以起而代之，为人们提供社群归属。

但城市教会也有沦为宗教俱乐部的危险，大型的城市教会更变得像企业公司一样。地方教会在城市的环境中，能否成为真正的与神有盟约关系的社群呢？早期的教会就是与神有盟约关系的教会，吸引了多少孤独和迷失的人，蒙神之爱进入羊圈。今天的教会如果沦为宗教俱乐部或大公司，只是成为吸引当代人的另一个人类组织而已，这样的偏差要竭力避开。如果教会想要把福音传给城市里的人，首先必须成为符合圣经意义的教会，就是有基督在其中、有圣灵同在带来圣洁和大能的地方。

# 第74章　沟通与社会结构

尤金·奈达 (Eugene A. Nida)

作者是语言学家、人类学家以及圣经学者。1943 年开始参与美国圣经公会 (American Bible Society) 事工，1970～1980 年，他担任联合圣经公会翻译及研究负责人 (Translations Research Coordinator)。在圣经公会担任顾问时，也继续开展研究，并在欧亚各地讲课。其著述有二十二本有关翻译和宣教的书籍。本文摘自 *Message and Mission* 修订版 (1990 年)。版权承蒙美国克里威廉图书馆许可使用。

　　沟通从未发生于社会真空中，总是在构成整个社会环境的人与人之间进行。沟通时参与者彼此之间的关系很明确，例如：老板对员工、儿子对父亲、警察对违法者、小孩对保姆。此外，在每个社会里，某种类型的人对某些阶层的人该说什么样的话，都有一定的规则，在某个阶层合宜的话可能到另一个阶层就不得当了；甚至同样的话语从不同的人口中说出来，意思也天差地远。同样的行为，下属做出来就被视为令人生厌的傲慢；但若是老板做的，只觉得他不拘小节，还满有魅力的；中下层阶级认为是别扭献媚的举措，上层社会却可能解读为可爱的谦逊。[1]

　　各个阶层的人们不管说什么，都难免受其身分所影响。人不仅是一个独立的个体，更是一个庞大的"家庭"中的一员，不论这个"家庭"是宗族、部落还是民族；同时，尽管通常没有付诸明文规定，这个"家庭"总有非常重要的规则，影响着其成员之间的沟通。

　　沟通是在社会结构内部进行，从宗教的角度来看，这一点尤其重要。任何部落或民族只要供奉神明，这些神明都在其社会结构中占据特别重要的位置，几乎没有例外；像是神话中的祖先、代表民族的社会模式、当成道德观念的守护者。因此，宗教往往反对任何背弃历史、离经叛道，以及任何可能破坏传统领袖威望的行为。刚归信基督的人在一个异教占主流的社会里，他的感觉很可能与一个名叫霍皮的印第安人回乡时的感觉没有两样。霍皮外出求学时在学校里信主成为基督徒，并且受洗；在他返回村子的头一天，所有村民都离开跳舞去了，留下他一个人，好像被冷落在信仰的墙角。他后来描述到，当时他觉得自己"像一个没有家国的人"。

　　遗憾的是，一些针对非基督徒的宣教方法造成了基督徒的种姓或亚文化群。在印度独立前，有一些宣教士——固然初衷不改——认为新的印度归信者若要成为真正的基督徒，并且对信主的立场保持忠诚，就需要完全与宣教士和外国人群体认同；结果，形成不少"人造的温室"，归信基督教的人在其中有可能得到了保护，但是永远无法真正成长；也可以说，他们受了教导反而不知所措、不得其门而入。

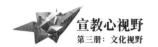
出于好意的宣教工作有时候未必能成功传播福音，其原因在于传播源头所扮演的角色，与福音对象所认同的角色完全不相容。

在一个向南美洲印第安人宣教的工作中，传播者的角色是一个富有的地主，这样的人挟其威望能做成许多事情；然而，他却不能有效地把好消息传讲给福音对象，因为双方的沟通角色阻碍了有效的理解。地主和雇工两个角色之间永远不可能对生命真谛产生深入平等的沟通。没有双向沟通，当然就不可能有认同。

## 社会结构与人际沟通

社会结构，连同所反映的沟通网络是多种多样的。在这里，我们既不是要对所有类型的社会结构进行详细的分析，也不是讨论产生不同社会生活模式的诸多因素；我们把焦点放在社会结构的一个特定方面，就是人际沟通中的重要因素。为此，我们需要对两种在不同层次上互相交叉的主要类型加以区分：首先，我们必须区分城市类型（或所谓的"大都会城市"社会）和农村类型（或"熟人"社会）的结构；其次，我们要根据其同质或异质的特征来分析这两种结构。典型的城市居民，无论是在纽约、伦敦，还是加尔各答这样的大型中枢城市，都带有大都会城市社会的特点；同样，无论是位于墨西哥城附近的印第安人村庄，还是在泰国北部山区的村落，其中的农民群体都具有农村社会的特点。

同质性的社会是指其中大多数或所有人，都以近乎相同的方式参与大众生活。这些群体中可能存在阶层的差异、领导和权位的区别，但这个社会仍然是一个交融的整体，分享相同的价值观体系，而不是一个按照不同方式运作的亚文化群体的结合体。例如：与美国庞大且"同化"程度不等的多元民族相比，瑞典多少可以视为一个同质性的社会。瑞典与秘鲁这样的国家极为不同，秘鲁的城市里保持了伊比利亚—美洲（Ibero-American）的文化，但在高原和东部丛林的村庄里，文化截然不同。

## 社会结构模型

为了更清楚理解社会结构的某些基本特征，我们以"倒置"的钻石形状作为基础来图解表示社会模式。

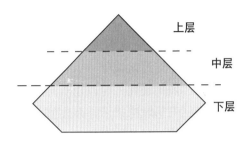

在这个概括的示意图中，不仅表明上层、中层和下层等不同阶级的相对位置和数量，还体现出每一阶级的整体轮廓。这个轮廓中，上层阶级呈锥形，只包括了人数相对有限的顶层领导者。同时，下层阶级中的最底层（所谓的贫困人口）的人数，也比那些在社会结构里位置稍微高一些的人数少。

我们暂且随意选择三个阶层来代表社会结构。当然，某些社会存在四个、五个、六个或七个，甚至更多阶层；对于这种情况，一般以下列术语来区别：上上阶层、上下阶层、中上阶层、中下阶层、下上阶层、下下阶层。这些示意图的形状不是基于统计资料，因为没有以阶层为标准收集的统计资料；图的形状仅凭印象粗估，不过还是有一定的代表程度。

在海地的社会里，上层阶级由一个窄小的分层群体构成，而社会的底层几乎膨胀（下图）。在丹麦，上层阶级相对而言没有比其他部分高出许多，中层阶级相当大，而下层阶级逐渐减至一个较小的贫困底层。墨西哥则在某种程度上代表了更为"典型"的结构，其中层阶级在不断壮大，上层阶级则有所减缩；社会的大部分在下层阶级，但又不像海地那样，底部集中占有非常大的比例。

## 社会结构内的沟通

社会结构对沟通的重要性可以总结为两条基本原则：

● 人们较多与同一阶层的人沟通；也就是说，对等的人际沟通基本上是横向的。
● 俯就式沟通一般是从上层阶级到下层阶级。这种纵向沟通多半是单向的，主要发生于相邻群体之间。

### 1. 人际沟通是横向和对等的

真正有效的沟通不是单向的。对等是沟通必不可少的成分（我们可以称之为

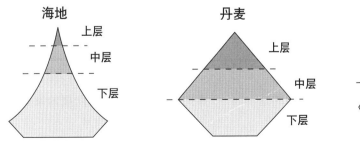

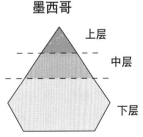

"社交回馈"），否则，沟通的结果会令人大失所望。例如，在战争中，将军不仅需要知道如何给部队下命令，还必须准确了解部队的实况，否则他的命令可能会导致愚不可及的悲剧。第二次世界大战时法国的崩溃就是一例，将军必须知道我方军队的优势在哪儿，又面临怎样的劣势，才能下达正确的命令。如此，在沟通源头集中的组织沟通形态中，固然必须发出命令，但信息也必须不断地回馈回来。

### 2. 俯就式沟通是纵向和单向的

例如，在夏季大热天里，有一个非洲人执意穿着一件又厚又笨重的外套，只是为了让人看出自己从一个白人官员那里得到了这样一件外套，借此抬高他的身价。看见的人就注意到，上级给予下级东西大大提高了这人的威望。相同的道理，无论是在事奉，还是在宣教工作上，通常是由专业的宗教人士负责讲论；他只是告诉人们真理，却没有听他们对真理有什么想法。如果这种态度演变到极端的地步，信息一定会变得很不恰当。

## 在熟人社会中的沟通方法

与城市社会结构相较起来，农村、农民和原始的熟人社会就很不一样。当然，美国肯塔基州山区中的小型农村社区，与非洲扎伊尔（Zaire）共和国（刚果民主共和国）北部的村庄之间差别也很大。然而，某些重要的特征对沟通而言有着特别的关系。

一般来说，熟人社会有亲属和原始这两种主要类型。第一种是依赖型的社会，以城市为生活圈，受益于城市；同时也对城市有很大贡献，特别是在资源供应上。第二种情况的社会严格来说，虽然也是一个熟人群体，但其组织有的松散、有的紧密，它的经济和生活几乎不受外部的影响；这样一个约定成俗的群体，大伙儿做的工差不多，只不过男女有别。其实，严格符合所谓的原始社会群体现在已经很少见，且正在迅速地成为依赖性的社会群体，或者处于过渡阶段中。

典型的城市文化，可以用横向阶级划分的倒置钻石形状来表示。亲属型社会和某种程度的原始型社会则相反，可以用底部较宽、大体上平行的纵向划分的金字塔形状来表示：

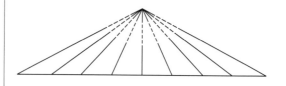

在这个例子中，金字塔的底部很宽，而且一般来说，领导者和被领导者之间的区别不是很大；同时，没有一般意义上的上层、中层和下层阶级这些区别，或是更为细致的阶层区别。相反地，社会结构从根本上划分为不同的家庭群体，相互之间是由出身或联姻联结起来，所组成的形式包括宗族、小部落、氏族或胞族；这些形式，则是依特定的社会结构采取的特别形态而定。

示意图的顶端表示一个小团体的领导层，即该社会的长老。这些领导者形成一个寡头控制，各自代表所属的家庭体系，如虚线所示；这样的社会有较强的凝聚力，在抵抗外力时形成相对一致的战线；

为了保护自身的利益，采取保守的作风。总体而言，整个团体是集体决策，而不是经由任何正式的议会；是用非正式的讨论和交换意见来作决定，具有大多数"家庭决议"的特点。在这样的社会中，信息的有效传播不是沿着横轴或纵轴（如前图），主要来自家庭和宗族。马盖文强调有必要使用这些有效的沟通管道来作为"福音桥梁"。[2]

## 异质或城市社会的沟通法

异质性社会主要有两种类型：
1. 包含少数群体结构的城市社会
2. 具有熟人亚社会形态的城市社会

在第一种类型中，我们需要识别三个要素：

● 有着基本的差异，这意味着不能想当然地对不同群体使用相同的方法。
● 声望差别有很大影响，这表示声望较低的群体会设法跟随，或认为自己正在追随声望较高的群体的规范。
● 若是要达成有效沟通，内部的沟通是重要因素。

在异质性社会的第二种主要类型中，占有主导地位的城市结构也包括熟人社会类型的少数群体。当一个单一的社会结构涉及到位居主导地位的群体，而且还涉及到它所包含的熟人社会群体时，我们需要认识他们在结构上的差别，以及如何互动。这一点至关重要。

宣教工作可能犯一个严重的错误：将某个一直高度依赖城市中心的本地群体，当作是一个独立的群体来传福音，并且让他们与其他群体隔离。宣教士可能没有意识到，需要对城市社会和亲属型社会制定不同的方法；却把它们混在一起，忽视了其中有不同的结构。在一个包含亲属型文化的异质性社会里，处理过渡状态的群体总是不容易的；究竟是按照他们的农村环境，还是按照他们的城市环境来服事他们呢？在某种意义上，这一切都取决于他们所处的阶段，以及对自己的看法，因为这些人生活在双重角色中。

宣教士若想沟通得好，就必须认识到不同阶层之间的差别，使福音信息适合他们的处境，并且采用他们传统的沟通网络。宣教士必须根据各个阶层或亚文化群体的背景向其中的人传福音。

## 适用于任何社会的沟通方法

一旦我们认识了社会中的基本结构，就可以看到沟通得以成功的秘诀，在于充分利用沟通会"自然进行"的特点。这种方法有四条基本原则：

● 有效的沟通必须以个人友谊为基础。
● 沟通初期，应该针对那些能在他们的家庭群体中有效传递信息的人。
● 必须留出时间，等待新思想在内部传播。
● 宣教士若是对归信者在教义或行为上发生的改变有所质疑，必须找到在社会里有决策能力的人或团体来处理。

我们千万不要产生这样的印象，以为只有前述那些人在福音工作中是有帮助、

且不可少的；不过，当我们分析整个工作自始至终的发展后，还是发现，最早归信的人的社会和个人素质，在沟通福音和传播福音上非常重要。在任何社会环境里，有效的沟通必须依从社会结构；而人是其中最不可缺少的组成部分，只有在这种结构里面，他们才能接触到福音，活出他们的信仰。

## 附注

1. Davis Riesman, *Individualism Reconsidered* (Garden City, N.Y.: Doubleday & Co., Inc., 1954), p. 46。

2. 马盖文（D. A. MaGavran），《福音桥梁》(*The Bridges of God*) (London: World Dominion Press, 1955), p.120。

## 研习问题

1. 作者介绍了哪两条在任何社会结构内都适用的沟通原则？这些为什么非常重要？

2. 对那些在包含亲属型社会的异质性城市社会中作工的人，作者提出什么建议？

3. 你如何应用作者的四条基本原则，充分使用沟通的自然流动的特点，向熟人社会或城市的异质性社会中的人传福音？

# Part 3
## 文化认同

# 第75章 连结的影响力

伊莉莎白 (Elizabeth S.)、托玛斯·布鲁斯特 (E. Thomas Brewster) 夫妇

作者（又名贝蒂·苏）和她的已故的丈夫是一对夫妻档同工，专门协助宣教士开发有效学习任何语言的技术，并适应使用该语言的文化。他们所著 *Language Acquisition Made Practical* (LAMP) 一书，因其创新的方法和教学上的创造力而受认可。贝蒂·苏目前仍然在富勒神学院执教，并在世界各地的研讨会上讲课。本文摘自 *Bonding and the Missionary Task* (1982 年)·Lingua House 出版。版权使用承蒙作者许可。

道成了肉身，住在我们中间。（约1:14）

就在几个月前，我们家添了一个男丁。在为孩子的出生作准备的时候，我们接触到"连结"（bonding）这个概念。新生儿的心理和生理特性会反映在与双亲的连结上！[1] 如果这个时期父母经常和婴儿在一起，就会形成彼此之间紧密的连结。在这个阶段，父母和孩子间亲密、活络的关系可以说是到了巅峰，甚而对孩子将来长大后的分离都有帮助。从本质上来说，婴儿的感官受到大量新鲜感觉的刺激；出生意味着进入一个新的文化，一切景象、声音、气味、位置、环境，连拥抱方法都是新的。重要的是，在这段特别的时间，婴孩身上有一种不凡的能力，能够回应周围不寻常的环境和新的刺激。

儿科医生注意到，通常未借助药物生产的新生儿第一天会比随后一两个星期都要警觉，这段警觉的时刻有利于形成早期的连结。然而，如果婴儿受到分娩时所用的药物影响而变得昏昏沉沉，那么婴儿和母亲都不能充分利用这个天赐良机；如果婴儿马上就被送到育婴室而与母亲分离，这段感觉极为敏锐的时间也错过了。

## 以此类比宣教

一个成年人进入陌生的外国文化，与婴儿出生的情况非常类似。不同的是，这位成年人已经为此行筹备了数个月、甚至数年之久，现在终于来到最关键的时刻，其期待与兴奋之情可想而知。初来乍到，那新鲜的感觉、景象、声音和气味，一股脑儿地对他的感官展开激烈轰炸；但对一个在生理上和心理上都准备就绪的宣教士来说，他定能一一应对、乐在其中，准备好与新的环境建立连结、与福音对象建立关系，成为"归属"这个族群的一分子。

## 建立归属感

对一个为文化融合做好充足准备的人来说，时机至关重要，因为与当地人建立连结的最佳时间点，在于初来乍到之时。如果新来到的宣教士被送入一个熟悉的宣教士群体，环境倒是挺舒适，但就浪费了一个准备就绪的关键机会。

如果宣教士要在蒙召去服事的族群中间建立归属感，最初几周的时间安排就很重要；有如被关在育婴室里的婴儿没有与亲生父母相处相连，而与医院的工作人员产生连结，这种情况很常见。同样，新来到的宣教士也是，他可能先与外国人的社群连结，以满足自己此时对归属感的需要。

如果归属感是与其他外国人建立起来的，那么新来的宣教士要开始工作时，就感觉是"突如其来"。因为他们住的地方是与当地人隔离开来的，甚至可能住在"宣教士大院"里，只是每周冒险到当地社区闯荡几次，之后总是返回安全的外国人社群当中。

如果宣教士在当地文化环境中没有找到家的感觉，他就不会把竭力和该社群建立重要的关系作为一种生活方式。从他们愤慨的话语中就可以反映出这种连结的缺失："唉呀，这些人真是的！他们怎么总是**这样**做事？""这些人到底什么时候才学得会呀！"

## 连结对宣教工作的应用

宣教士的使命是进入世界，让世人有机会进到神的家中，归属于神；宣教士之所以去，乃源于他或她已经先归属于一个最有意义的关系中。宣教士应当有力地活出这样的见证："我属于耶稣，祂给了我新的生命；现在借着我到这里成为你们当中的一分子，邀请你们也来归属于祂。"

这样，宣教士的使命与耶稣来到世上的模式类似：耶稣离开所属的天上成为人，来到人类当中，为了带领人进入归属于神的关系之中。

## 成为归属者

如果宣教士能立即融入当地社群，会带来许多益处。如果与当地家庭生活在一起，新来者就可以了解到当地人如何安排生活、如何取得食物和购物、出门如何乘坐公共交通工具、对外国人的生活方式持何态度与感受？在这些方面，不用几个月就可以得到很多资讯；新来者一边过另一种生活方式，一边评估接纳某些生活方式带来的益处。反过来，那些急于安顿下来的宣教士，通常只能采取某种熟悉的方式，因为没有经历过其他生活方式，当然就没有别的选择。一旦宣教士按着原本的生活方式舒适地安顿下来，他实际上已经画地自限，把自己关在一个对当地人来说相当陌生的模式中。

在第一文化里，我们自然而然地会以行得通的方式去做事。我们知道走到马路边时该注意哪头驶来的车辆；如何让公共汽车停下来载我们；买东西、接受服务都要价钱合理；怎样取得我们需要的资讯，或到哪里去寻求帮助。但是在一个新的文化里，人们做事的方式似乎让人捉摸不透，这会令人迷失方向，造成文化冲

击。对于首先与其他外国宣教士建立归属感的新宣教士来说，这些外国人为他们进入新的生活做了缓冲。过去我们普遍认为这个缓冲对于新来者的调整非常重要，所以常常安排新来者配合在工场举行"差会会议"的时间到达。然而，我们要诚恳地说，这种"缓冲"是弊大于利啊！

像初生婴儿第一天的生活一样，新来者最初两到三个星期的生活至关重要。在新环境中最初尴尬难堪的生活，往往也是最能培养归属感的时候。在这段时间里，新来者尤其能够对付在新文化里遇到的种种不可预测的情况，缓冲是**最不需要**的。

那些希望以循序渐进的方式进入另一个文化的人，会面临更大的障碍，到头来可能永远都无法享受到归属于当地人的经验。最好能一头栽进当地人的生活中，以局内人的眼光来体验每一天；我们要与当地人一起生活、一起购物、一起外出，并在适当的时候，一起敬拜。

宣教士从第一天开始就应该与当地人建立关系，尽早表明自己的需要，表达愿意跟他们学习的心志。人们通常很乐意帮助那些有明确需要的人！当紧张情况出现时，新的宣教士因为表现出愿意学习的态度，就会从这些当地人获得帮助、得到答案、领受建议。在相同的情况下，一个受缓冲的人，得到的是局外人给局内人之事的建议，这人的外来感和疏离感恐怕将会一直延续下去。

有一对夫妇，在进入一个穆斯林环境的最初几个月中，决定不与西方人来往。他们在信中讲到这次得胜的经历：

> 我们离开之前就知道将会面临不

同的调整。我知道，对我来说最艰难的是一开始，但我丈夫觉得他的困难时期将会出现在来到这里的一段时间之后。

果不其然，离开亲人让我撕心裂肺，但在我开始出去与这里的人交往之后，我的乡愁逐渐淡去。当地社区非常热情地接待我们，有一百二十五个本地朋友来参加我们的圣诞节庆祝活动。那段时期，我们彼此间关系的亲密程度令我们大为惊讶。

我不太清楚丈夫最近为何陷入了抑郁。对我们来说，这次圣诞节与以往不同；再加上他因流感在床上躺了一个星期，那段时间他很想念一些熟悉的东西。他说，已经厌倦了总是要注意自己给别人留下什么样的印象；然而，主非常祝福我们在这里的事工，丈夫所栽培的两位穆斯林信徒此时多少帮助了他走出这个低谷。

在许多方面，我们确实一直很孤单，要夫妻相互支援，但有时候还是觉得担子太重了，没有其他任何人可以交谈，或是可以寻求建议。不过，我觉得正因如此，我们才有了这么好的当地朋友。

连结就是使新来者归属于"这么好的当地朋友"的原因。困境一定会出现，然而与当地人建立起连结关系，会体验到亲密交往的美好，还可以从建立起来的当地朋友网络中获得帮助；这反过来又促使新来者掌握当地人的方式，建立起一种归家的感觉。虽然某些时候可能会感到灰心气馁，甚至抑郁寡欢；某些文化上的压力乃是意料中事，但是归家的人一般不会长期经历严重的文化冲击。

## 学习语言

与本地家庭生活在一起不仅有助于产生连结的关系，而且能够显著地促进语言的学习。新来者沉浸在与当地人的关系中，学习语言的效果最好，这跟学习母语很类似，都是听与模仿，再不断的使用。课堂教学有一定的帮助，但不能代替与当地人交往当中那种面对面的交流。

只需要会一点点当地族群的语言，就够启动连结的关系了。有一位宣教士写信给我们："那天你挑战我们用刚学会的几句话去跟五十个人交谈。那真是最令人兴奋的经验！我没有跟五十个人交谈，但也跟四十四个人讲到话，真的，足足跟四十四个人！"第一天，她能说的"内容"仅限于一句问候语，以及表示她渴望学习当地语言的一句话，然后表达除此之外她什么都不会讲了，但还会再来见他们，最后，她说了谢谢和再见就走了。她在第一天就鼓起勇气破了冰。从那一刻起，她就对这个新社群有了家一般的归属感。后来，她再如法炮制，现买现卖，学多少就用多少。

学习语言本质上是一种社会行为，而不是学术行为。精通一门语言颇具挑战，但对于一个在新社会里与他人有亲密关系的人来说，相当平常。对于那些主

> 学习语言本质上是一种社会行为，而不是学术行为。精通一门语言颇具挑战，但对于一个在新社会里与他人有着亲密关系的人来说，相当平常。

要与外国人来往的宣教士来说，学习语言往往会成为一个负担和挫折，相反地，应该为新来的宣教士安排机会，使他们与新社群连结（并因此成为归属者）。新来的宣教士应该接受挑战，与福音目标群体连结，并且准备好抓住归属于他们的机会。

我们需要鼓励新来者，从第一天起就将自己完全地沉浸到新社群的生活中。如果新来者要想尽快使自己成为归属于这里的人，与当地的家庭一起生活，再利用街头的交往向人学习，那就得事先立下决

心和承诺。否则，这些理想都不会成为现实。

我们发现，这样预先的准备和期待，加上一些语言学习技能的训练，是很有帮助的。我们辅导语言学习者时，总是建议他们在最初的几个星期定下四个目标：

1. 愿意与当地家庭一起生活。
2. 个人家当不超过二十公斤。
3. 外出只使用当地的公共交通工具。
4. 下定决心从自己发展出来、又加以维系的人际关系网络中学习语言。

愿意定下这些目标自我要求的人，充分说明了他的态度开放、有灵活性。心态准备好了，新来者就可以很自在地、富有创意地与人连结，抓住周围各种的学习机会。

不管是单身、已婚，还是家里有小孩的宣教士，他们到达之后一般都不难有与当地家庭一起生活的机会。在某些情况下，团队成员、宣教机构同工，或当地的熟人可以帮忙找到一个家庭；但是新来者也可以自己找到这样的家庭，只要试着说："我想要学你们的语言，希望找到一个家庭，一起生活差不多三个月，我会支付所需的费用。你知道哪个家庭可能有意愿吗？"正常情况下，问五十个人一定会得到一些肯定的回应，至少能找到一个愿意帮你去打听的人。

那些在新社群中建立连结，在这关系的背景下学习语言的人，同样可以从初期的语言学习中找到发展事工的机会。几年前，一个有十一位新来者的宣教团队来到玻利维亚，笔者督导过他们语言学习的初步阶段：

这些新来的语言学习者在最初的三个月里建立起关系，结果，他们的事工带领了三十多人认识基督。当中的许多人，一些是与我们一起生活的家庭成员，一些是常常听我们讲话的人。这两种情况都是在与他们学习语言时建立起的关系，因此他们还可以接着跟进、培训新的信徒。难怪这些新来的语言学习者觉得这是一次令人愉快的经历。[2]

## 冒险建立更好的连结

人生中很少有什么压力和危险，像人在出生时要面临的那么多。同样，如果以为立即完全沉浸到一个新的文化里没有什么风险，那就大错特错了！压力和风险很可能是建立连结的特殊环境必不可少的。有没有风险这问题还得看另外一个方面。如果新来的宣教士在初期不敢冒险去尽快适应新的社会，到头来就要长期、不断地冒风险。从宣教士失败的例子让我们看到：那些无法归属于当地的人，最终会付出沉重的代价，甚至无法重返事奉工场完成第二期的服事。与别的家庭一起生活、和陌生人交朋友、学习一种新的语言，这些都不容易；但是，若老是作陌生人，生活中没有与当地人建立密切的友谊，也不了解他们的文化环境，这样的处境恐怕更难。

关键的最初几个月过去之后，还有可能建立什么连结关系吗？已经安顿下来的宣教士，虽然迟了一点，还有机会补救连结关系吗？答案仍然是肯定的！建立归属关系本就是一个正常的人类交往过程。已经安顿下来的宣教士如果认识到与当地人建立归属关系的重要性，那么还是可以以学习者的角色，搬入一个当地人的家庭，住上几周或几个月，同样可以实现这个目标。

连结的概念意味着这双文化的人，有一个健康的自我形象。建立连结与"变成本地人"不是一回事！变成本地人是放弃自己的第一文化，在宣教士当中很少这样做的，对正常、情感稳定的成年人来说，这也是不可能的。所谓双文化，与"人格分裂"也不一样；人格分裂的人，自我是支离破碎的；而双文化的人则是在为神所赐予的人格，开拓一条新的、富创意的表达途径。他们可以像小孩子一样表现自在，不用顾忌形象，不害怕犯错，一试再试。宣教士踏上成为双文化人的过程，一开始就承认全权的神在我们的第一文化里创造我们并不是一个错误，并同时认识到，神照着祂的主权，拣选并呼召我们，去归属于一个不同文化的族群，使我们可以成为他们的好消息。

道成了肉身，住在我们中间。
（约1:14）

## 附注

1. *Maternal-Infant Bonding*, Marshall H. Klaus & John H. Kennell, C V Mosby Co., St. Louis, MO, 1976。
2. Brewster & Brewster, "I Have Never Been So Fulfilled," *Evangelical Missions Quarterly*, April 1978, p. 103。

## 研习问题

1. 对于初来乍到的宣教士，为什么与主体文化的连结特别重要？若错过最佳时机，之后的补救还有效吗？为什么？
2. 学习新语言时，为什么尝试将自己沉浸到新社群生活中更容易？
3. 为什么笔者建议限制个人的家当，与当地的家庭一起生活？

# 第76章　宣教任务中的认同

威廉·雷伯恩（William D. Reyburn）

作者曾在南非、中非、西非、欧洲以及中东担任联合圣经公会翻译顾问。1968～1972年，他在英国伦敦总部担任翻译部全球协调员。本文摘自*Readings in Missionary Anthropology II*，由威廉·斯莫利编辑（1978年）。版权承蒙美国克里威廉图书馆许可使用。

一场倾盆大雨从傍晚一直下到深夜，没有间断。有两个男人紧跟在一头小驴子的后面，缓慢地沿着泥泞斜坡滑溜溜的羊肠小径走下去，蜿蜒的小道通往位于厄瓜多尔安第斯山脉高地上宁静的小镇巴尼奥斯（*Baños*，西班牙语）。

当这两个黑影在一间破旧的印第安人旅店门前把驴子停下来，似乎没有什么人注意到他们。其中较高的那一位走进门口，有一群男人正围坐在一张小桌子旁，在烛光下喝吉开酒。这陌生人刚刚走进屋里，柜台后面就传来人声，喊着："晚上好，**地主**（meester）！"

斗篷被雨水浸透的男人迅速转身，看到原来是一个胖胖的女人站在柜台的后面半掩着。他稍微举起帽子，回答说："**晚上好，夫人**。"在简短的对话之后，那男人和酒吧女侍就到外面，牵着小驴通过一道小门，进入一个用泥土堆成的马厩。那两个人卸下他们的东西，拿到马厩旁边像牲畜棚的房间里，要在那里过夜。

我坐在地板的稻草上，开始脱下打湿的衣服。一连听到几次人家叫我地主，我非常讨厌这个词语。为什么这个可笑的小女人在灯光昏暗的房间里称呼我为地主？我看看自己的衣服，再看看帽子——这帽子是厄瓜多尔最穷的**乔洛**（cholo）人戴的，裤子是补丁打补丁，被污泥弄脏的脚上穿着一双橡胶轮胎做的拖鞋，跟任何印第安人或乔洛人穿的没有两样。我的红色斗篷不是出自高级的奥塔瓦洛织工，而是在萨尔塞多生产的穷人斗篷，没有别致的穗子，而是真正乔洛人风格的斗篷，在斗篷较低边缘悬挂着一些稻草，一看就知道我是在路上带着自己的驴子过夜的人。可是，她为什么会称呼我为地主呢？那是一个专门指美国人和欧洲人的称呼。至少她可以称呼我**先生**（Señor），但是她没有，她非要称呼我为**地主**。

我感觉自己精心设计的装扮，被她这么一称呼就完全露出马脚，不由得在脑海里反复推敲。她应该不是听出我的外国人口音吧，因为我还没有开口说话呢！于是，我转向我的同伴，他是盖丘亚族（Quechua）印第安人，来自可洛他湖的老卡洛斯。"老卡，那女士知道我是一个**地主**吗？她是怎么知道的？"

我的朋友蜷缩着坐在房间的角落里，胳膊和腿缩拢在他那两块斗篷下面。"我不知道，**老板**。"我抬起头瞥了一眼卡洛斯，对他说："老卡，三天来，我一直请你不要叫我老板。你这样叫我，人们就会知道我不是乔洛人。"卡洛斯从羊毛斗篷领子下猛然伸出一根手指，碰了一下帽缘，谦恭地回答说："我老是忘了，**地主**。"

全身湿透的我既烦恼又痛苦，感觉自己刚才看起来一定像一个傻瓜。我静静地坐在那里，凝视着摇曳的烛光，卡洛斯则在自己的角落里朦胧入睡。过去三天，我们沿着这条路一路走来，沿途所碰到的面孔不断地浮现在我的眼前。然后我看到了这个巴尼奥斯女人的脸，她识破了我看似天衣无缝的装扮。我猜想有更多人也许早就看出我是个欧洲人了！我感到受伤、失望、幻想破灭，更糟的是，我还饥肠辘辘。我伸手从背包拿出一包妻子为我们准备的玛其卡粉，倒进一些水，用手指搅了搅这红糖和大麦的混合物，便狼吞虎咽地吃了下去。现在，雨正慢慢地停下来，从房角上面的一个洞口往外看，在月光下，朵朵浮云在空中飘过；有人在街上轻柔地弹奏着吉他，我们隔壁房间，五、六个印第安人刚刚从马厩回来，正在说着他们白天旅途中所发生的趣事。

吹灭蜡烛，我斜靠在粗糙的木板墙上听着他们的谈话，渐渐进入了梦乡。当我被房门嘎吱嘎吱打开的噪音惊醒时，已经是几个小时之后了；我立刻站起来，跳到打开的门背后，等着看看发生什么事。门又轻轻地关上了，我听到老卡洛斯躺到垫子上睡觉时发出来的吱嘎声；是老卡从外面回来，他出门上厕所去了。我的同伴几天来一直警告我，说印第安人经常互相抢劫，因此我睡觉时必须要保持警醒。现在很安静，一片死寂，也不知道大概是什么时候了，因为手表不适合我的乔洛装束。我又躺回地板上，思考着认同的含义，反反覆覆地问自己，这个老盖丘亚族印第安人与我生活的真实世界相距这么远，与他认同，到底是什么意思？

为了明白真正隐藏于这些盖丘亚族印第安人和讲西班牙语的乔洛人心中的想法，我走遍了厄瓜多尔安第斯山脉的印第安人市场。我能真正触摸到他们心中的渴望吗？我想知道，为什么醉酒看起来能给人带来满足？这个盖丘亚族印第安人在他的老板面前所表现出来的闷闷不乐的孤僻性格是真的吗？几乎不论什么冲突他都可以包容，都不会感到苦恼，是因为他适应生活环境的能力很强吗？他到底是一个虔诚的天主教徒，还是异教徒，或是信一种什么都结合的宗教呢？为什么他打从心底反对外面的改变呢？到晚上，他在一小群亲密的同胞中安歇，他都谈些什么、担心什么？我在寻找隐藏在外表标志下面、可以回应基督呼召的根源。这些问题的答案可以形成宣教神学的基础，可以适切地与这些人的生命连结。除非我们用什么方式能让他改变，认识到基督教的命题最重大和最基本之要求就是生命的顺服，否则我看不出这个对他有什么意义。我必须要先认同他心中深层需要的外在显示，才能深入他的内心世界。

宣教任务的一个主要方面是寻找德语所说的"起点"（*der Anknüpfungspunkt*），或可谓连接点或接触点。离开了

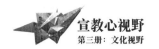

# 认同本身不是终点，而是播扬福音的途径。

这样的一个接触点的福音宣讲，等于逃避宣教士的责任；简而言之，这是一个过程，其中宣讲好消息的人必须尽一切努力去与听众建立联系。人心不是一张白纸，等着福音来写在上面；它是一块复杂的写字板，从出生到死亡，上面被涂得乱七八糟，很多东西深深地刻在上面。使人成为信徒总是先接触非信徒，这当然是圣灵的工作；然而，这并不免除人的责任。正是因着人在理性上听道、并理解了，才被唤醒而相信神；只有攻破了人的种种谎言，圣灵才得以对人提出要求，使他成为一个新造的人。人必须意识到，在他能够被神的爱抓住之前，他是带着藐视和敌挡的态度对待神的呼召。敌人在被俘虏之前一定是站在敌对立场上的。

## 认同的形式

宣教士的身分认同可能呈现出许多不同的形式。有很浪漫的，也有的很乏味；有的令人信服，有的则虚假做作。重点是，认同本身不是终点，而是播扬福音的途径！同样，宣教士身分认同这个有争议性的问题，其核心不在于认同的程度，而是如何利用认同的成果。入境随俗、认同当地人不是特别的美德；许多在学校或医院里工作的宣教士，正因着他们所从事的单调的日常工作，唤醒了许多心灵，使人对福音产生回应。

某些所谓的"认同"连方向都错了！有人以为只要生活在当地人的村庄里，或是学习当地人的语言，当地人的心灵就会自动向他们敞开。重要的不是作出多少认同，而是有针对性的认同，也就是认识到人乃是一个负责任的存在体，一直在寻求触及自己的真实；这一点可不容易，有很大的局限。宣教士身分认同的实际障碍数不胜数，我将在下文试图概述我们经历过的一些障碍，并且评估宣教士缺乏身分认同和参与所带来的结果。

## 不自知的习惯

毫无疑问，人们在本质上认同的障碍就是对自己的生活方式习以为常，在大部分情况下，只是照此而行，根本不进行任何有意识的反思。在上文所述的事件中，老盖丘亚族印第安人卡洛斯、驴子和我一直在安地斯山脉的高原穿行。白天，我们花时间到市场转转；晚上，我们就窝在给流动的印第安人和乔洛人准备的狭小房间里过夜，住宿费还不到十美分。从里奥班巴（Riobamba）到巴尼奥斯，我们在小路上徒步跋涉了三天，一路上只有偶尔出现的狗似乎看出了异样，没有人看出有什么不平常的地方。直到走进巴尼奥斯小旅馆点着蜡烛的房间里，我才被认出是外国人（至少看起来如此）。我想自己非常难过的原因其实在于我制造了一个错觉，并且深信不疑，几天以来我以为自己终于进入了乔洛印第安人的世界，在里面四处走动。但旅店的老板娘称呼我"地主"，仿佛当头一棒，一下子把我从一个自以为已经紧紧依附的世界里猛地被抛了出来！

第二天早上，我去找旅店的老板娘，在吧台坐了下来。我对她说："夫人，现在请告诉我，你怎么知道我是一个**地主**，而不是一个本地的**先生**或一个从里奥班巴来的**乔洛人**？"这个胖胖的小妇人很尴尬地咯咯大笑起来，她的眼睛闪烁着。"其实我不是很有把握，"她回答说。我坚持要她解释给我听，因为这件事把我完全搞糊涂了。我继续说，"夫人，现在假定你是一名侦探，有人要你去抓捕一个穿得像乔洛穷商人一样的欧洲人。如果他来到这个旅店，你如何认出他来？"她挠了挠头，向前靠在柜台上。

"你走出去，再进来，就像你昨晚那样。"我拿起我的旧帽子戴在头上，并且拉得很低，向门口走去。我还没走到街上，她就喊道："等一等，**先生**，现在我知道是怎么一回事了。"我停住，转过身来。"就是你走路的样子。"这时候，她爆发出开心的大笑，说："我从未见过这里的任何人那样走路。你们欧洲人走路时甩着胳膊，好像你们从来没有背过东西。"

我感谢那位善良的女士，她给我上了一堂关于姿势的功课，于是我走到街上，研究当地人是如何走路的。果不其然，他们的步伐短促，并且起伏不定，从臀部往上，躯干稍微向前倾斜，双臂在他们巨大的斗篷下几乎一动不动。

## 认同有限度

有一个最突出的例子让我想起认同的局限性，当时我们住在厄瓜多尔塔瓦昆多（*Tabacundo*）附近一个用泥土和茅草做成的小屋里。我们这时已经搬到了靠近皮斯科（Pisque）河畔一个分散的小型农耕定居点，离我们为其作研究的安第联合差会（United Andean Mission）约有一公里远。我和妻子达成共识，如果我们想要为这个差会带来什么贡献，就得住到当地人中间，不管他们接受与否！他们最终还是接受了，但总是有所保留。我们的吃穿都与印第安人相同，仅有的家俱就是一张用百年植物秸秆做成的床，上面覆盖着一张编织的垫子，与所有印第安人家里完全一样；事实上，因为没有农具、织布机、粮仓，我们这间屋子是附近最空的。尽管我把屋子里的东西减到最少，人们还是称呼我为**老板**。

我反对他们这样称呼我，声明自己不是**老板**，因为我没有土地。他们提醒我说，我穿着皮鞋。我马上就换了，穿上当地人做的拖鞋，鞋底是用大麻纤维做的，鞋面是棉布的。过了一段时间之后，我注意到，仅仅更换我的鞋，仍然丝毫摆脱不了老板的称呼。我就再问他们原因。他们回答说，我与塔瓦昆多镇的西班牙人有来往，显然认为自己属于老板阶级。于是，在一段时间里，我竭力避免与镇里的人来往，但地主这个称呼似乎永远甩不掉了，与我们刚搬进社区的那一天没有两样。

地方官要求人们修复一条连接社区和塔瓦昆多镇的道路，因为这条路通行不了。我和印第安人一起参与这个工作，一直到两个月之后工程完毕为止。我的手变得又硬又粗糙，长满了老茧；有一天，我自豪地把长满老茧的双手展示给一群人看，当时他们正准备喝完最后一罐发酵的吉开酒。"现在，你们总不能说我不和你

们一起干活了吧？你们为什么还叫我老板呢？"这一次，酒后吐真言，真相终于浮出了水面。这群人的领导文森特·库斯科（Vicente Cuzco），走上前来，用胳膊搂住我的肩膀，轻声对我说："我们叫你老板，因为你不是印第安人妈妈生的。"我彻底无语了。

## "我们的枪"

在非洲村子里的生活，使我们认识到个人背景中的一些看法影响至深，其中最为突出的是个人财产所有权的观念。我们在喀麦隆南部布鲁（Bulu）族阿卢姆（Aloum）人的村庄里住了一段时间，目的是学习他们的语言。从第一天起，我们就受到了热情的接待和殷勤的款待：他们给我们起了布鲁族的名字，村里的人跳了几个晚上的舞，还给了我们一头山羊和各式各样的热带食物作为礼物，多得我们都快拿不动了。

我们受邀住在阿卢姆人当中，但还没有充分作好心理准备，去明白"收养"这个概念在布鲁族人的想法中到底是什么意思。我慢慢地开始明白，我们的东西不再是私人财产，而是要供那个收养我们的这个氏族集体使用；刚开始，我们还能够适应这种方式，因为我们的财物状况，跟村里的其他人差不多。他们对我们的财物要求，并没有像他们的慷慨款待那样多，我们所有的食物都是他们提供的。

后来，在一天晚上，我对自己与阿卢姆人之间的关系的含义有了一个新的领会。有一个陌生人出现在村庄里，我们得知阿卢姆是他母亲兄弟的老家，他就是舅父村庄的外甥，这在非洲父系社会里是一个最为有趣的社会关系。天黑之后，村庄里的重要人物聚集在男人活动的地方；我也慢慢走过去，坐在他们中间听他们谈话。地上篝火的影子在泥巴墙上忽上忽下地跳动。

最后，他们的谈话停了下来，村长站起来，开始放低声音说话。有几个年轻人从火堆旁的位置上站起来，走到外面站岗放哨，确保没有不速之客会无意中听到这些重要事件的进展。村长欢迎他的外甥进到他的村庄，并且保证他在这里寄居时的安全。在礼貌性的介绍之后，村长开始称赞他外甥是一个了不起的大象猎手。我对这一切代表什么意思仍然懵懂不知。

我听到村长赞扬他外甥有成熟猎人的美德。村长说完之后，另一位长者站了起来，继续举例说明这个外甥的生活，他说，在面对丛林中的各种危险时，这个外甥表现得很勇敢。人们一个接一个地重复讲类似的话，直到村长再次站起来；我可以看到他的眼睛直接注视着我，火焰的影子在他黝黑的脸上和身上来回移动。"奥巴姆·安拿（Obam Nna），"他对我说。灿烂的笑容露出了他一口发亮的牙齿，"现在要把我们的枪送给我的外甥。去把它拿过来。"

我稍微犹豫了一下，但是随即站了起来，穿过洒满月光的院子，向我们的茅草房走去，玛丽和村子里的一些妇女坐在那里聊天。我不断听到有声音在我耳中说："要把我们的枪送给……我们的枪……"就像一张坏了的唱片在复数物主（我们）代词那里卡住了，不断地在我的耳旁重复着："……我们的枪……我们的枪"。在回到家之前，我想到了一大堆拒绝的好理由，但是我拿了枪和一些子弹之后，还是起身回到了男人活动的屋子。当我重新踏进去的那一刻，我又找回了身为奥巴姆·安拿的那种感觉。如果我要成为奥巴姆·安拿，我就必须告别威廉·雷伯恩！为了能使自己成为奥巴姆·安拿，我几乎每天都不得不把威廉·雷伯恩钉死在十字架上！在奥巴姆·安拿的世界里，我不能再像在威廉·雷伯恩的世界里那样拥有枪。我把枪交给了村长；当然他并不知道，与此同时，我也放弃了私人财产权这一吝啬的思想。

## 食物象征价值

在村子里生活的另一个问题与水和食物有关。我曾进到洛洛（Lolo）村，进行一些与翻译使徒行传相关的调查研究。我没有带任何欧洲人的食物，决心看看完全吃卡卡（Kaka）食物有什么效果；结果发现，用木薯粉和开水简单搅合形成的糊糊，是一种营养丰富的食物。有一次，我一连吃了六个星期这种食物，结果体重并没有减轻，也没有腹泻，或其他不良影响。这些食物都是由村里的妇女准备的，我随遇而安；无论到什么地方，只要碰到妇女提供食物，我通常就和男人们一起席地坐下食用。有几次，我没有在恰当的时间出现在恰当的地方，结果只得饿着肚子睡觉；因为我很小心谨慎，避免请求任何女人专门为我准备食物，这举动对他们来说带有性的暗示，我可不想惹是生非。

有一次，几乎整个下午，我与一群卡卡族的男人、男孩们聊起世界各地人们所吃的食物。一个年轻人拿出他的布鲁语圣经，读起使徒行传第十章中彼得见异象的那段经文，彼得得到指示，要宰杀并吃掉"地上各样四足的走兽和昆虫，并天上的飞鸟。"这个年轻的卡卡人曾在一间教会学校里短期学习过，他说："豪萨（Hausa）族人不相信这一点，因为他们不吃猪肉。我们觉得宣教士也不相信，因为我们的一些食物他们也不吃。"听到这里，我非常肯定地向他保证，他做的任何食物，宣教士都会吃。

那天晚上，有人把我叫到这个年轻人父亲的家门口，那位老人坐在地上。他面前摆着两个干净的白色搪瓷锅，上面盖着盖子。他抬头看了看我，示意让我坐下。他的妻子端来一瓢水，边倒水边让我洗手。老人将湿的手指在空中甩了甩，等手干了一点，揭开其中一个锅的盖子，蒸气从一团圆形平滑的木薯糊糊中升起。然后，他又揭开另一个锅子的锅盖，我瞥见了里面的东西。这时我抬起头，眼睛正好接触到下午早些时候读彼得见异象的那位年轻人严肃凝视的目光。满满一锅烤焦的毛毛虫……噢，不会吧！

我心想：现在，我要咽下这些毛毛虫呢，还是咽下我的话？而后者不过再次证明，欧洲人只不过是使基督教适应他们自己自私的生活方式而已。我静静地等在一旁，看着我的主人用他像铲子一般的手指深深地挖进糊糊，然后把一团糊糊轻轻地按进毛毛虫的锅里。当他把糊糊送到他张开的嘴巴，我看到了烤焦的毛茸茸的怪物，有些被压到糊糊中，有些则松散地黏在糊糊表面，这些全都进入了他的嘴里！

尝了第一口，这是主人证明他的食物是安全的，向我保证他没有下毒。接着，我把手指插入糊糊中，但眼睛却紧紧地盯着毛毛虫，不知道放入口中的那种感觉将会如何？我快速地舀出一些这种能爬行的东西，噗地一声整团都塞进嘴里；当牙齿咬下时，毛毛虫柔软的内脏爆裂出来，令我惊讶的是，我尝到了咸肉的味道，似乎正好给淡而无味的木薯糊糊添加了所缺失的调料。

我们安静地坐着吃饭。在卡卡人的"饭桌"上没有空闲给你谈话，因为一旦主人吃了第一口饭，男人们的手就会从四面八方伸过来，"饭桌"上的东西就像风卷残云，一扫而光。当我们坐着狼吞虎咽的时候，老人的三个妻子和她们的几个女儿出来，站在厨房门口看着我们。她们举起手，来来回回不停地低声说道："白人卡卡在吃毛毛虫，他确实有一颗黑人的心。"

食物被吃得精光。每个人喝上一口水，漱了漱口后，把水吐到一边，打了个响亮的饱嗝，大声说："神啊，谢谢祢。"然后就起身离开，走进落日灿烂的光辉中。那天晚上，我在札记中写下这样一行话："一锅吃得精光的毛毛虫，比宣教士向异教徒白费口舌讲一些爱的空洞比喻，更有说服力。"

## 思想的隔绝

宣教士参与当地人的生活还会面临其他阻拦，主要来自于个人背景以及当地的基督教传统。亲属群体或原始人群很快就能估计出他们与宣教士之间的距离。有些情况下，这个距离无足轻重；但在另外一些情况下，二者简直就是完全不同的两个世界。敬虔派背景的宣教士，早已怀疑当地人所做的一切都有问题；故此，为了拯救他们，就必须把他们拉出来，建立起另一种与原来的生活完全不同的生活方式。但这种做法几乎是行不通的，即便奏效，其结果所产生的社群，也只不过是有归信的灵魂，但生命却没有改变。这些宣教士其实不过是选择了一条阻力最小的路径，使自己不受世界的影响，当然，由此他也接触不到想要拯救的世界。

## 自由见证

把自己从世界中隔离出来的基督教会，无法了解福音的目标世界；就像一个从来记不得自己怎么作孩子的人，等当了父亲，在孩子的心中，他也只像个陌生人。宣教士的参与和认同不是研究人类学的结果，而是从依靠圣灵，自由地到世界中见证福音的真理所产生的。

我吃毛毛虫的经历说明了认同的重要性。但认同本身不是终点，是传扬福音的途径！

基督呼召人们进入在祂里面的弟兄关系当中，但同时，基督徒却常常利用各种分离机制来否定这种呼召，这些机制的范围，从食物禁忌到种族恐惧都有。基督教的福音，对于人类以自我为中心的宇宙观而言，确实是陌生的；然而，在这个错误的自我观念得到纠正之前，还必须越过一个障碍。用基督教的话说，正是十字架把人从自我的封闭中带领出来，进入他当享的自由中。

我们还要放弃自己思考问题和做事情的方式，来克服那些对当地人来说相当陌生的事情，基督教不是一套只能用一种文明或文化来表达的思想。宣教士的任务就是舍去，这种舍弃，不只是离开亲故好友和舒适的家乡，而是重新审视自己的文化

> **宣教士的任务就是舍去，这种舍弃，不只是离开亲故好友和舒适的家乡，而是重新审视自己的文化预设，并且让人们理解你。**

预设，并且让人们理解你。在那里，你绝对不能假定人们自然而然会理解你。

宣教神学提出这样一个问题："一个人的心在什么样的情况下，圣灵能激励他降服在神面前呢？"宣教士的任务就是透过与这个人认同，来找出连接点。宣教士认同的基础，不是让"当地人"在外国人身边感觉更自在，也不是安抚宣教士物质主义的良知；而是要创造出一种**沟通**（communication）和**相交**（communion），在其中一起找出保罗在哥林多后书第十章5节中所说的"诡辩和高墙"——"我们攻破诡辩，和做来阻挡人认识神的一切高墙，并且把一切心意夺回来，顺服基督。"这就是宣教学的基础，宣教神学的圣经根基，宣教士的呼召存在的理由。虽然履行这一呼召要面对极大的局限，很多人仍然愿意全力参与其中——在心意更新的团契相交中带出新造的人。

### 研习问题

1. 解释在宣教沟通中认同的必要性和局限性。
2. "一锅吃得精光的毛毛虫……更有说服力。"在跨文化的背景中，你能想到其他有如"毛毛虫"的跨文化考验吗？

# 第77章 诚实正直的身分
## ——二十一世纪的使徒性事奉

理克·洛夫 (Rick Love)

作者曾在穆斯林当中服事二十五年，擅长领导力培训，指导宗教组织进行跨文化交流，增进基督徒和穆斯林之间的关系。著书两本。撰文颇丰。本文改编自Blessing the Nations in the 21st Century:A 3D Approach to Apostolic Ministry, *International Journal of Frontier Missiology* 25:1 (Spring 2008)。克里威廉国际大学出版社出版。

2001年九月十一日，当我从电视中看到那毁灭性的恐怖攻击时，只能目瞪口呆地坐在沙发上，一动也不动。像其他人一样，我惊慌失措，义愤填膺；也与很多人一样，从此不断地思考和祷告。这不正是我们该再思二十一世纪"使徒性"事奉模式的时候了吗？请注意，我使用的是"使徒性"（apostolic）一词，而不是意义宽泛、文化包袱沉重的"宣教"（mission）一语。在我看来，"使徒"指跨文化带领人作门徒的先驱；简言之，是"受差派者"到未闻基督之名的地方，建立耶稣跟随者群体的一种身分。[1]

## 911之后的世界：恐怖主义、全球化、多元化

恐怖主义、全球化和多元化三大全球趋势已经深远地改变了我们的世界，从根本上影响到二十一世纪的生活、思考和交流，[2]也向我们在国际间开展使徒性事奉的传统方式提出了挑战。

911这个可怕的恐怖袭击事件已经在这一代的心中留下深深的烙印。在这之前，教会圈子之外很少有人乐于去了解基督徒在穆斯林世界中的工作；但现在，大家对任何在穆斯林世界中生活或工作的人都感兴趣，不论是因为他们担当文化桥梁建造者的角色，或是因为人们把他们看作是危害国家利益的煽动者。国际媒体对他们在穆斯林和西方世界之间，所谓的"文明冲突"中扮演的角色非常好奇。[3]

恐怖主义不是导致使徒性事奉更具挑战性的唯一因素。我们生活在一个联系紧密的全球化世界里，[4]对此最有力也最贴切的例子莫过于互联网搜寻引擎谷歌（Google）；只要输入几个关键词，几秒钟之内，你就能立即获得一大串的文章和信息。在这个"谷歌化"的世界里，只要谈到自己是什么人、在做什么、为什么这么做，我们的话语就会以超乎你意图的速度和广度，进入巨大的全球化思想市场之中。

第三个趋势是多元化，是指不同的种族、宗教或政治背景的人汇合在一个社会里。"欧拉伯"（Eurabia）或"伦敦斯坦"（Londonistan）这类的词语突显了穆斯林文化涌入西方社会的现象。就在不久以前，这个世界还可以简单地划分为差派国家和"宣教工场"，但今天已经不一样了；每一个主要的未得之民群体中，现在都有相当多的人生活在曾经为宣教士输出端的国家中。当然，未得福音的世界来到我们身边，为未得之民了解福音提供了一个极好的机会。但是，这种近距离的接触，也意味着跨文化工人的双重身分，经常被这一全球化的现实显露出来。从前，差派他们的教会看他们是宣教士，而在其他国家，他们的身分则是带职事奉者。

以下几个例子说明了跨文化使者在911之后的世界里所面临的挑战：

● 澳大利亚的一间教会举行了一个关于伊斯兰教的研讨会。牧师鼓励教会弟兄姐妹去爱穆斯林，向他们伸出友谊之手。他们选读了一些教导穆斯林如何对待妇女和异教徒的古兰经经文，刚好在座有一些新近皈依伊斯兰教的澳大利亚人；他们根据新近颁布的"仇恨言论"法律，控诉这教会的领袖。结果几个牧师被判犯了"诋毁伊斯兰教"的罪。

● 有一位在穆斯林世界中服事的宗教机构领袖，允许一名自由撰稿人听他教授的一门神学院课程。结果这位记者写了一篇负面且具煽动性的文章，并且被翻译、又转载到整个穆斯林世界。诸如华盛顿邮报、纽约时报、美国有线电视新闻网和美国哥伦比亚广播公司的《六十分钟》节目等等，都邀请他来对这篇文章作出回应，但他对如此高调的媒体关注毫无准备。结果，他暴露了在一个伊斯兰国家中服事的某个非政府的社区发展组织与该机构有关联。

● 有个在穆斯林国家中服事的家庭返乡一段时间，期间他们参加了一场母会为国际学生举办的活动。在活动中，一位"宣教委员会"的委员热情地向来自同一穆斯林国家的学生介绍说："我想向你们介绍差派到你们国家去的这位宣教士！"

## 真实身分与三方受众

全球化世界的相互关联性，使我们日益受到挑战，要同时执行三件事情：传福音（在我们的主要环境中，向未得福音的社群）；捍卫福音（向正在探听的世俗世界）；为福音招募工人（在教会内部）。经历911之后的世界越来越证明，要与任何一种特定受众单独沟通是不可能的；我们在某个场合中说的话，最后将会被世界各地的人听到或读到。过去，我们也许能够将我们的信息限定在特定的受众，但现在不再可能了；我们在一个场合所说的话，也会被其他人在无意中听到。既然不再能够在不同的受众面前以不同的角色说出不同的消息，我们就必须保持相同的信息和个人身分，仿佛面对同一批受众。以下三个问题会帮助我们在这个全球化的世界中，处理好多类受众这一复杂的情况：如何设计我们的信息？如何表达我们的意图？如何展现我们的身分？

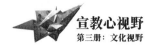

## 1. 核心信息

"核心信息"指对所有三类受众都不能简化的福音信息。这些受众包括未曾听闻福音的人、怀疑观望的世俗世界，以及差派的教会。当然我们会针对相应的受众而将核心信息处境化，但处境化的信息应当总是参照核心信息。我们需要准确且明确地传递这个核心信息。

如何辨明你生命的核心信息？不妨问问自己：我愿意为什么样的信息而死呢？对我而言，我不愿意为隶属的宣教机构，或是为自己国家的外交政策而死，坦率地

---

**附篇 77-1　经得起考验的透明度**

麦弟兄 (L. Mak)

当我在一个"福音封闭"（restricted access，限制福音进入）国家中一所大学任教时，有一位非基督徒朋友与我妻子一起学习圣经有两年的时间。这段学习快要结束时，她对我们说："我的朋友告诉我，你们是宣教士，但我一直对他们说，你们不是。"出于好奇，我就问她为何会有这样的感觉。她的回答令我们非常震惊，她说："你们不可能是宣教士，因为你们既爱神又爱人。"

她为何那么确信我们不是宣教士呢？是不是因为这里的人认为宣教士会带坏年轻孩子，破坏当地文化和社会结构呢？

差不多在同一个时候，老家的一个朋友催促我在"谷歌"上查一下我的名字。我震惊地发现，互联网上不止一个地方描述我是一名宣教士。原来一个在教会中听到我讲道的青少年把这个资讯张贴在他的网路日志上；这间教会我只去讲过一次道，他们出于善意，也把这个资讯张贴在他们的网站上。

一开始，我想这份工作可能保不住了。但是我更关注一个问题：如果我的朋友、学生和同事看到互联网上关于我是一名"宣教士"的描述，那会使他们更加靠近耶稣吗？还是会使他们不信任我，对我避而远之呢？这突出了一个实在的问题：在这个联系紧密的世界，我们用来表达自己身分的方式，非常有可能削弱我们信息的可信度。

大多数人都认同，互联网会越来越强大，任何地方的人都会更加容易获得更多的资讯。我们要如何回应呢？差派的教会和机构，可能需要使用新的用语来描述那些他们差派出去的人。保持双重身分或双重职业可能会越来越困难，建立起既爱神又爱人的信誉就更显重要！无论是面对自己的家乡还是当地文化，我们都需要将所有身分整合成一个单一的身分，作一个以基督为中心的教育工作者或商人。但愿这样带来一个结果——我们卓越的工作表现反映出神的荣耀，我们坦荡的言行举止将基督传扬出来。

麦弟兄祖籍中国，出生于香港，在一个创启国家的大学任教十年。他也在东亚、北美、非洲和欧洲工作过，目前从事训练跨文化工作者的工作，并且指导一些教会和差会处理定位和宗教交流问题。

说，我也不愿意为基督教而死；但因着神的恩典，我愿意为基督而死，愿意为每个人有知道基督之爱的权利而死。

我们的核心信息可以用不同方式表达。例如，对不同的受众，耶稣采用不同的方式讲解神国的信息。耶稣论到他的信息，能够这样说："我向来对世人说话都是公开的……暗地里我没有讲什么。"（约18:20）同样地，只要所说的一切与我们的核心信息相符，我们也可以根据受众来调整表达方式。

尽管这有难度，但还是可能做到，而且我相信在二十一世纪，这也是必须的。最近，我在一间教会中讲到神在穆斯林世界的工作。虽然我的重点是鼓励和挑战基督徒，但我还是尽我所能，以一个一般受众或穆斯林的受众都比较容易接受的方式来沟通。讲道结束时，有一个偶然来到教会的穆斯林走过来对我说："非常感谢你今天早上的讲道，这个信息需要让全美国都听到！"这件事情连同许多其他的经历帮助我意识到，我任何时候的谈话，在场的受众都可能不止有一种人。

## 2. 核心使命

当代宣教喜欢用军事比喻和胜利口号来描绘教会的普世使命，这些比喻和口号塑造了我们对受差到的族群的看法。他们真的是我们的"目标"吗？那些战争化的描述，是否下意识地让我们把未得族群视为"敌人"呢？

当代福音使者越来越避免使用诸如"基督徒"、"宣教"、"宣教士"和"建立教会"等昔日珍爱的术语。这些术语已经具有负面的含义，使得我们把祝福带给

万国的努力反而容易遭人误解。我们满腔热情地要完成大使命，却常常误传了十字架的方式；让使人和好的事奉失去了人性，没有活出耶稣和平的样式。[5]

我认为圣经中"祝福万族"一语，最能描述我们的核心使徒性使命，且恰到好处。[6]我们可否用这种表达或类似的说法来替代"宣教"一词呢？

祝福万族的使命从亚伯拉罕就有了。神把借着亚伯拉罕赐福万族的应许（创12:1-3，18:18，22:18，26:4，28:14），为事奉提供了圣经的根据和正确的心态。我们在这应许里发现神赐福万族的慈爱旨意，也看到他对全球人类的旨意。

在旧约中，"赐福"指神对那些以信心回应他的人赐予恩泽和能力（创15:6；诗六十七篇）。他恩惠的赐福，吸引我们进入与他的关系中，带来平安、幸福和救赎；他大能的赐福，影响我们生活每个领域的现实情况。故此，赐福既是一个关系的用语，又是一个能力的用语。

这个应许的福分在基督里得以成全。在基督里，我们发现神丰盛的恩惠慈爱；[7]在基督里，我们发现神无限大能的彰显。保罗在加拉太书中（加3:5，8-9，14），明确表达了在基督里关系和能力方面的福分。

亚伯拉罕的祝福里包含有我们的使命和信息。保罗在加拉太书第三章8节中清楚说明了这一点："圣经既然预先看见神要使外族人因信称义，就预先把好信息传给亚伯拉罕：'万国都必因你得福。'"所以，我们在基督里之福分的核心信息，与我们把基督的福分带给万国的核心使命是一致的。

## 附篇 77-2 虽为人所不知，却是人所共知

鲍勃·布林克 (Bob Blincoe)

### ——举荐自己为神的仆人

1991年海湾战争（又译：波斯湾战争）之后，我搬到了伊拉克北部的库尔德斯坦 (Kurdistan)，人们把我们视为解放他们的英雄，欢迎我们进入库德人的聚居区。我们立即着手尽力改善他们的生活，首先要赶快给起义爆发后还幸存下来的绵羊和山羊进行疫苗接种，但巴格达的伊拉克政府千方百计为难我们这些来到这里的美国人。在接下来的四年，萨达姆·侯赛因 (Saddam Hussein) 关闭了伊拉克北部的电力，在联合国办事处埋放炸药。我们在思想，是否到了离开的时候？

一天晚上，我们一位名叫萨米尔 (Samir) 的伊拉克雇员没有回家。他的工作是开车通过侯赛因的检查站，去摩苏尔 (Mosul) 购买我们所需的牲畜疫苗；萨米尔的妻子来告诉我，说伊拉克秘密警察把他关到监狱里了，还威胁要杀死他，除非他同意把一颗炸弹埋放在我家。但他告诉警察说："我不干，我是一个基督徒。" 警方就告诉萨米尔别无选择，一定得拿上一套爆炸装置。后来萨米尔直接来找我，脸色苍白，把一切都告诉了我；由于他因我而面临生命危险，所以我安排他和他的家人离开伊拉克，搬到澳大利亚。

下一步该做什么呢？我把我们住家这一带邻居的男士聚集起来，开了一个会，开门见山地对他们说："也许我在这里使你们的生命面临危险，你们要我离开吗？" 他们高声反对，希望我们留下来，并且承诺保护我们，我深受感动。自从那以后，当地人开始在我们的街道上巡逻，也是从那时起，我们所讲的和所做的反倒大大增加了把神的国带给他们的机会，这原是我们最渴盼的！

后来我们雇了一百名库德族兽医，打发他们两个两个出去，每天给五千多头牲畜接种疫苗；整个库尔德斯坦地区的羊群和牛群都增加了，牛奶、乳酪和肉类再次摆上了家家户户的餐桌。因着与许多其他有神国度胸怀的人一起配搭，我们亲身见证了库德教会的"开创"时刻；例如，有一天，我们唱着歌打着鼓下到河边，观看第一批库德信徒为一个镇上的十几个人施洗。有时候，神只是想让我们诧异，祂的作为远超我们所求所想！

库德人社群对我们严加保护，因为他们觉得很了解我们。在他们中间的工作，已经证明我们确实是为了让库德人得益，我们开诚布公表明自己的身分就是耶稣基督的仆人。随着库德人一波一波归主日渐为人所知，整个社区不会为此感到大惊小怪。保罗在哥林多后书第六章说，我们表明"自己是神的仆人……好像是人所不知的，却是人所共知的"（林后6:4, 9）。对侯赛因政权那些想要杀害我们的人来说，我们是"人所不知的"，但对接受我们的库德朋友来说，我们是"人所共知的"。

作者现任美国前线差会（Frontiers）主任。在1991年海湾战争爆发期间，他搬到伊拉克北部，著有 *Ethnic Realities and the Church: Lessons from Kurdistan* 一书。

## 3. 核心身分

任何参与使徒性工作的人都面临着身分的问题，尤其是那些在敌视基督信仰的环境中工作的人。过去，许多人认为以两个身分在两个世界中生活不成问题；差派我们的教会知道我们是宣教士，但是在事奉的环境中，我们的身分却是商人、教育工作者、援助人员，或某种类型的"织帐篷者"。但今日的世界联系如此紧密，维持双重身分面临着越来越大的压力。

试看一个特别引人注目的例子。2001年，有两位美国妇女在阿富汗遭到绑架。在戏剧性地得到释放之后，她们告诉一位电视记者，声称自己是援助工作者；然而，全球媒体立即播放了一个代祷卡，确认她们是宣教士！于是两个世界发生了碰撞。这样的双重身分给福音使者带来一些焦虑感。他们觉得，为了传扬关于基督的真理，这样做好像隐藏了自己的真实身分，又害怕被人视为不诚实。这种挥之不去的担心会干扰一个人的良心，并且会逐渐侵蚀他们分享福音的勇气。双重身分不仅反映了人格分裂，也反应了灵性分裂——即错误地认为我们生活或工作的属灵，要比其他的部分更为重要。

无论福音使者采取什么角色来祝福所在的社区，他们都需要能够以发自内心的正直来履行自己的角色："我是一名荣耀神的英语教师使徒。""我是一名荣耀神的商人使徒。""我是一名荣耀神的援助工人使徒。"他们向所有三种受众都保持一致的身分。

一个有意义的综合身分意味着将自己的动机、织帐篷的角色、个人恩赐和使徒呼召结合在一起。换句话说，受基督的爱所激励，我们要寻求适宜的生活方式和服事方式，既适合神创造我们的样子，又使我们能够以正直诚信来执行使徒的呼召。但是，我们仍然要有智慧！"你们要把握时机，用智慧与外人来往。你们的话要常常温和，好像是用盐调和的，使你们知道应当怎样回答各人。"（西4:5-6）

诚信正直与谨慎灵巧之间的界线在哪呢？要辨别这一点，我们需要神的智慧。耶稣有一个他愿意为之献身的核心信息，那就是神的国。他根据讲话的环境和对象，以不同的方式描述他自己和他的事奉。我们要效法他的榜样和留心他的劝告，要机警像蛇，纯洁像鸽子（太10:16）。行事诚信正直并不一定要把自己生活中的各方面，都向遇到的每一个人透露出来。但是最终我们必须谨记，耶稣确实是为他的信息而死。

出于多种原因，许多当代的使徒都没有应用上述核心身分类型。老式的宣教典范、属灵生活的二元论、扭曲的带职事奉观以及培训不足，都是最显著的障碍。这一切都值得我们仔细反省和关注。

## 今后必须做改变

自911事件之后，这几年以来我经历了一些变化。学习始终以基督般的方式，向任何一类受众沟通核心信息和核心使命的确不容易；但我需要作出改变，不仅"措辞"，连"内在"也需要改变。我的组织也作了一些重大改变，不止网站上的用词作了明显改变而已。为了二十一世纪的使徒性工作，我们需要重新整理神学思想，重构我们的组织架构。

## 附注

1. 有关使徒职分的一个精彩总结，见Sinclair 2005, pp. 1–14。

2. 本文由于篇幅所限，无法详细讨论影响神的国度拓展的两大全球趋势，一是南方国家教会兴旺，二是后现代思潮的兴起。

3. 见杭廷顿（Samuel Huntington）所著《文明冲突与世界秩序的重建》（*The Clash of Civilizations and the Remaking of World Order*）。我对他书中的许多观点持不同看法，但是他的思想很有影响力，值得关注。

4. 托玛斯·弗里德曼（Thomas Friedman）所著的《了解全球化：凌志汽车与橄榄树》（〔*The Lexus and the Olive Tree*〕台湾：联经，2000）和《世界是平的》（*The World is Flat*）是有关全球化最出色的两本书。

5. 有关这些重要的问题，见洛夫2001。

6. 见洛夫和泰勒（Taylor）2007。

7. 新约圣经在五段经文中以祝福来描述福音，见使徒行传第三章25-26节；罗马书第四章6-8节；加拉太书第三章8, 13节和以弗所书第一章3节。

## 参考书目

理克·洛夫，2001, "Muslims and Military Metaphors." *Evangelical Missions Quarterly*, January 2001。

洛夫与泰勒（Love, Rick and Glen Taylor），2007, "Blessing the Nations and Apostolic Calling in the 21st Century." 该文可从前线差会索取。

Sinclair, Daniel. 2005, *A Vision of the Possible: Pioneer Church Planting in Teams*. Authentic Media: Waynesboro, GA。

# 第78章 宣教与金钱

菲尔·帕谢 (Phil Parshall)

作者曾为国际事工差会 (SIM) 宣教士，在孟加拉和菲律宾宣教四十四年，著有九本以伊斯兰教为主题的书籍，代表作有 The Cross and the Crescent: Understanding the Muslim Heart and Mind, Bridges To Islam: A Christian Perspective on Folk Islam 和 Muslim Evangelism: Contemporary Approaches to Contextualization。

加理是某个南亚国家中一位杰出的年轻宣教士，带领了三位中年男子归信基督，他为此感到非常兴奋。这几位工作辛苦、收入低微，来自穆斯林背景的农民，对自己有机会与加理在一起也很高兴，他们每个星期都花时间边喝茶边讨论刚认识的信仰。在这个地区有数百万穆斯林，加理能与这三个最早归主的信徒一起团契、分享，这是对他蒙神呼召的奇妙肯定！

一月份，在一个阴冷的下午，这几个人来到加理租来的小房子，带来一个紧急的请求，说这刺骨的寒风从裂缝无情地刮进他们的茅草小屋里，他们受不了。而加理呢？尽管已经刻意过得简朴，但对这些信徒来说，至少他的两个女儿仍然有衣服御寒，暖和舒服。这些人中有个作代表，问加理是否可以拿一些毯子和用不着的衣服给他们的孩子抵御凛冽的寒风，因为每天晚上寒风都呼呼不断地刮进他们的屋子里。

对于这些看似合理的请求，你将如何回应呢？怎么做会使回应复杂化呢？你稍后在本文将看到加理是如何答覆这些人的。

## 合乎圣经的观点

仔细深思这些劝告：

"向你求的，就给他；有人拿去你的东西，不用再要回来。"（路6:30）

"当变卖你们所有的施舍给人。"（路12:33）

"凡有世上财物的，看见弟兄穷乏，却硬着心肠不理，他怎能说他心里有神的爱呢？"（约一3:17）

雅各书第二章15-17节更具体地论到加理的窘境：

"如果有弟兄或姊妹缺衣少食，而你们中间有人对他们说：'平平安安地去吧！愿你们穿得暖，吃得饱。'却不给他们身体所需用的，那有什么用处呢？照样，如果只有信心，没有行为，这信心就是死的。"

这些经文很有意义，但人们解释的时候却常常削弱原文最直白

的意思，我也犯过同样的错误。在孟加拉的时候，如果我按照字面的结论遵循这些经文的劝告，那么，我最终很有可能光着身子站在户外！

有一个非常富有的宣教士住在一个贫穷的亚洲国家，他竭力按照字面意义来遵循圣经的这些教导。每天早晨，都有一大群不守规矩、赤身露体的乞丐不耐烦地围在他的门口，等待着每天分发的卢比。

即便如此，给的钱也只够他们买基本的食物，谈不上买什么暖和的衣服来给他们冻得发抖的身体保暖。终于有一天，这些乞丐来到这里，发现这位宣教士已经离开，打道回府了！在那里，他就不必再面对这种诠释学的困境。至于这些乞丐，面对突然的损失，他们只是愤怒不平，而没有为着多年接受援助，发出一点感谢。

金钱和宣教这一话题会以不同形式

## 附篇
# 78-1 关系与金钱的两种观点

约瑟夫·卡明（Joseph Cumming）

穆斯林和西方人对金钱的观点差异很大。以下这些观察不单适用于穆斯林文化，也适用于许多非西方世界的地方。

| 穆斯林 | 西方人 |
|---|---|
| 所有真正的友谊都涉及到金钱。 | 最健康而愉悦的友谊不涉及到金钱。 |
| 拒绝给予不应该用直接说"不行"来表达。拒绝必须委婉，这样，要求的人才不会觉得尴尬。 | 实事求是，口头拒绝是恰当的。 |
| 规则应该要遵守，但显示仁慈更为重要，因为维持良好的关系更当看重。 | 规矩就是规矩，没什么好说的。 |
| 因你请求而获得了经济资助或一份工作，或是得到政府机构控制的利益，你就承担了某种程度的义务。你有义务忠心不渝地支持你的帮助者。 | 只在伦理和道德的界限内支持。 |
| 如果一个穷人因为特别的需要收到了礼物，这时又出现了一个更紧迫的需要，那么，把那些礼物用于更为紧迫的需要是合情合理的。 | 除非捐助者明确授权，否则这在道德上是不应该的。 |

作者在一个穆斯林国家生活了十五年。本文摘自作者于耶鲁大学所写的文章，文章内容受 David Maranz 所著 *African Friends and Money Matters* 一书的启发。

出现。例如，"西方人"是指谁？短宣人士，还是长期委身于工场的宣教士？带职事奉者吗？他们也要面对不少特有的问题。人们可能认为他们很有钱，并且可有好机会找到工作。城乡生活的不同，使西方人与福音受众产生不同的关系；在富人当中服事会减少经济困扰的机会，而在穷人当中服事则存在巨大的潜在冲突。

金钱能够帮助人、有建树，也能带来毁坏。从积极的一面来看，西方资金在历史上帮助了无数福音工作和社会建设，这些具体的爱心行动，使穷人在身体和属灵上都得到益处；然而消极的一面是，接收的一方会不知不觉地陷入依赖的泥潭。迄今，我尚未看到任何善性的依赖关系。

我多年来是孟加拉首都达卡（Dhaka）的一间大型函授学校的行政"老板"，手下有十来个人。此外，我还参与一些救助工作，在这个饱受艰难的国家中援助了数以千计的穷人。与那些属下互动的结果是，我被他们称作"博罗萨希布"（*Boro Sahib*），即"贵宾"。

对我来说，这个称号听来很不舒服，意味着支配，关系上就会有距离。对孟加拉人来说，这个称呼表明我是一个有权力的人，从我这里可以获得许多好处。几年之后，我和妻子搬到远离达卡的一个小镇上，住在租来的房子；从我们这对外国夫妇到来的那天起，一直到离开为止，人们都叫我"巴伊"（*Bhai*）或"兄弟"。没有员工和炫耀的标志，这个"有权力的人"已经把一切声望抛诸脑后！现在我与穆斯林一起生活，真正成为他们当中的一员。他们乐意接受我为他们的兄弟，这样的感觉真好！

# 可能的解决方案

面对这个又大又难的问题，我无法指望在接下来的篇幅中给予明确的答案，只希望提出几个可能对某些人有帮助的建议。

## 生活方式

这是一个挥之不去的问题。即使是最为委身的外来服事者也会发现，把自己的生活标准降低到与贫穷处境中的福音受众一样，是一件多么困难的事情！有人真诚地尝试这么去生活，却往往发现在情感上和身体上都难以承受这样的考验。结果，他们要不是转移到有便利设施的大城市，就是打道回府。

对一些人来说，殖民时期遗留下来的宣教大院提供了一个与世隔绝的选择，舒适、安全的住所简直是沙漠中的绿洲（有时真是如此），但我从来不认为这是很好的解决之道！我们蒙召应该成为众人的光，如果变成一个外国人家中由发电机供电的灯光，照到昏暗中围坐在一盏小煤油灯周围的当地人身上，这种吊诡的画面不是很讽刺吗？即使暂时借用这样的大院住宅在经济上只是权宜之计，我还是觉得应该将宣教士重新部署到福音对象的社区当中居住。我们一家有幸在宣教的生涯中，从来没有生活在与世隔绝的基督徒社区当中。

我们的福音目标受众是谁？如果他们是有钱人，那么，我们在生活方式上会与他们相容得很好，这个问题就不会那么突出；但针对穷人的事工，我们的生活方式要与他们认同，就复杂多了。在我看来，

## 附篇
## 78-2　当好的有钱人

乔纳森·邦克 (Jonathan J. Bonk)

在贫困的环境中，宣教士应该如何活出"基督徒的样式"呢？当宣教士试图在他们所服事的社区确立自己的角色时，往往发现人们把他们归入富有的阶层。他们自己很少这么认为，或根本没有准备好接受这样的地位。乔纳森·邦克在《使命和金钱：富有成为西方宣教士的问题》(*Missions and Money: Affluence as a Western Missionary Problem*) 一书中概述了这种困境。

他在埃塞俄比亚旅居的亲身经历，让他明白了富有的人为何不敢"冒险在社会上或地域上与穷人生活得太近。迫不得已和穷人就近而居时，为何必须用围墙、大门、栅栏、看家狗、武装护卫，还要与有类似特权的人交往等等，来保护自己的人身安全和财产，并且如果有必要的话，使用致命的暴力，甚至战争。"

§　　§　　§

新来者初入一个社会，不可避免地，他们的言行模式得符合当地社会的某种身分，虽然当事人可能根本没有意识到。当宣教士的所作所为，没有完全符合人们对他们所扮演的身分、角色的期望，人们可能会深深感到被出卖，甚至愤怒。例如，许多出于善意在经济上助人的宣教士，无意间被看作是赞助人或封建主的角色；如果他不像、或者拒绝尽这个角色的其他义务，当地人可能会感到困惑、沮丧，甚至愤怒，并质疑这些宣教士是否真诚。

本人以为，包括宣教士在内的西方基督徒，如果预先知道，或者移居之后发现自己的生活方式和权利，对当地人来说算作富有阶层的话，那就欣然接受"公义的富有者"这身分吧！

要学习以既符合文化习俗、又符合圣经的方式，担负起这个新的角色。不同文化对富有者的期待各有差异，可是人们倒能将**好的有钱人**和**坏的有钱人**分得清清楚楚，宣教士应该立志活出对这个文化来说好的样式。另一方面，这些文化界定的理想身分及其伴随而来的角色，必须接受圣经的校正和指导，以确保宣教士的生活与自己的教导相符一致。

作者现任海外事工研究中心（Overseas Ministries Study Center, New Haven, CT）执行董事和 *International Bulletin of Missionary Research* 编辑。本文摘自 Missions and Money: Affluence as a Western Missionary Problem ... Revisited, *International Bulletin of Missionary Research* 31:4, (October 2007)，海外事工研究中心出版。版权使用已蒙许可。

尽可能以低的经济姿态进入你的事奉地区似乎是明智之举，必要时才提升水准。一开始以高经济水平进入的人，很少会下调自己的生活方式。当然情绪稳定和身体健康非常重要，我认识一些宣教士，坚持过简朴节约的生活，但最后却不得不带着破碎的身心黯然而归。这样的结果对任何人都没有益处。

## 对当地传道人的支持

西方人往往注重结果。他们认为，以给当地人支付工资的方式，在建立教会的事工上就会获得更大的成就。当地人了解自己的同胞，精通他们的语言，可以过简单的生活，乐意执行经济支持者分配给他们的任务。少花钱，多办事嘛！还有什么比这更妙的呢？

嗯……，确实还有一些事情可以改善。（对于钱的）依赖性是最值得注意的问题。我可以列举很多例证，一旦外国人关闭了国外资金的阀门，当地人就怒气冲冲地咒诅那些外国人。结果呢？当地的非基督徒，也就是本来要传福音给他们的，对本国传道人产生了负面看法；他们看不起这些"洋教"的走狗，视他们为领工资的小贩，听命于富有的外国人。

这一问题令人不寒而栗。在我自己的宣教经验中，我们团队找到了一些解决方案。我们采取的一个方法就是向世界福音动员会（Operation Mobilization）借调一位有穆斯林背景的信徒（MBB）。这位优秀的传道人了解伊斯兰教，了解自己的人民，包括他们的民俗习惯。他们一家人生活得很简朴，就像我们西方人试图过简朴生活那样。最重要的是，我们在事奉上是

同事！世界动员会以生活津贴的形式供应他的家庭，这就是间接的资金供应；因为他真才实干，我们从来没听穆斯林称他为"走狗"。那个地区之前从未有过任何穆斯林归信基督，但今天，那里有六百多位MBB。这位当地信徒促进了这一切事情的发生。

在菲律宾，我们有幸与一些教会配搭同工，在一个敌挡福音的地方建立教会。看到菲律宾基督徒参与宣教，我们非常激动，他们不仅去传福音，也在经济上支持事工。特别激动人心的是看到菲律宾的华人教会在经济上资助非华裔的传道人。

## 其他议题

但是，该如何看待一些非常贫穷的国家无休止的贷款请求？有好多年，我屈服于那些恳求，结果造成悲惨的下场。我不但失去了金钱，也失去了"朋友"；最后，我决定关闭贷款业务，只提供补助金。补助的金额则根据申请人的需要、其他人的建议，最重要的是由祷告来决定。我尽可能试着与周围社区提供的金额持平……顶多再加一点吧，谁让我是个有钱的老外呢！

最后，让我们回到加理的故事来。他在面对这些新信徒时，意识到送衣服可能造成三方面的影响：（1）的确能让他们的孩子一时暖和；（2）可是也让旁观的穆斯林看到，这几个人为了物质上的好处而背弃宗教和社会；（3）还会引发依赖综合症，这不仅会阻碍这几个人属灵生命的成长，而且即使不削弱，也会妨碍那地方未来可能的广大福音发展。

加理向站在他面前满怀期待的三人，

谦卑地沟通以上的分析，并请他们确信垂听祷告的神有能力满足他们的需要，这些人只好垂头丧气地回到五公里以外的村庄。

接下来一个星期，加理更多为他们祈祷；不久，这几个人回来找他，开心地述说主怎样满足了他们的需求，现在他们一切都很好。在随后的几十年，那里有五百多位已经受洗的信徒的群体，而这三人就是最好的基础。这个地区对外国资金的依赖微乎其微。

没有一种方式放诸四海皆准，每一个处境都需要多做试验和调适。但我确信，这应该是宣教研讨中的一个首要议题。处理金钱的方式决定我们的基础是建立在磐石之上，还是建立在沙土上。

# Part 4
# 福音与文化更新

# 第79章　宣教士破坏了文化吗？

唐·理查森 (Don Richardson)

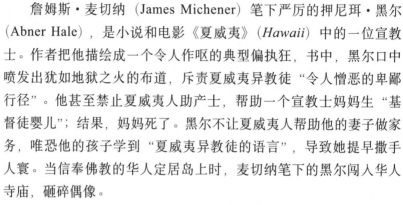

詹姆斯·麦切纳 (James Michener) 笔下严厉的押尼珥·黑尔 (Abner Hale)，是小说和电影《夏威夷》(Hawaii) 中的一位宣教士。作者把他描绘成一个令人作呕的典型偏执狂，书中，黑尔口中喷发出犹如地狱之火的布道，斥责夏威夷异教徒"令人憎恶的卑鄙行径"。他甚至禁止夏威夷人助产士，帮助一个宣教士妈妈生"基督徒婴儿"；结果，妈妈死了。黑尔不让夏威夷人帮助他的妻子做家务，唯恐他的孩子学到"夏威夷异教徒的语言"，导致她提早撒手人寰。当信奉佛教的华人定居岛上时，麦切纳笔下的黑尔闯入华人寺庙，砸碎偶像。

书和电影的故事情节虽然有趣，然而，不幸的是，许多北美人士把"押尼珥·黑尔"视为"宣教士"的代名词。从此，宣教士一直都背着这个"黑锅"。富勒宣教学院的人类学家艾伦·蒂皮特 (Alan Tippett)，曾经研究收藏在檀香山档案馆内的几百份早期宣教士的讲道信息。在这些讲道当中，他没有发现任何一份有麦切纳所说的那种咆哮风格，而麦切纳却把它塑造为那个时代的典型宣教士。

考查实际的文献记录对我们大有帮助，避免把已被扭曲的形象以讹传讹。的确，有过一些情况，宣教士应该为不必要的文化破坏承担责任。在1562年，当天主教宣教士福莱迭戈·德·兰达 (Fray Diego de Landa) 随同西班牙军队到达南美新大陆时，他发现了玛雅人藏书惊人的图书馆；在他看来，这些书都是"迷信和魔鬼的谎言"，就自以为是地把藏书付之一炬。结果，整个玛雅文明的诗歌、历史、文学、数学和天文学都在那一年消失殆尽，灰飞烟灭，只有三份档案幸免于兰达误入歧途的狂热。谈到此事，他还说玛雅人"痛心到了惊人的程度，这给他们造成了许多苦难"。

这个事件和许多其他事件表明，有时候宣教士的行为方式确实破坏文化。无论是因为曲解大使命、人的骄傲、文化冲击，还是因为对别人的价值缺乏理解，宣教士无形中做出排斥自己所不了解习俗的行为。如果我们当初真正了解某些习俗，它们很可能成为传福音的钥匙！

批评人士似乎认为，如果宣教士待在家里，那么原始人将会不

1962 到 1977 年间，作者受世界宣教使团 (World Team，过去叫域外传道会 RBMU) 差派，在印尼伊里安查亚省 (位于巴布亚岛) 沙威 (Sawi) 部落中宣教。自那时起，他便担任世界宣教使团的巡回牧师。著有《和平之子》(Peace Child)、《大地之主》(Lords of the Earth) 及《永恒在我心》(Eternity in Their Hearts) 等书，并经常在各地宣教大会和"宣教心视野"课程上演讲。

受干扰地过着卢梭所说的"高贵的野蛮人"的神话生活。事实上，早在李文斯顿到达非洲之前，阿拉伯的奴隶贩子已经进入那里；早在贾艾梅出现之前，早就有恶人残酷地把小男孩和小女孩拖进寺庙，成为儿童庙妓。有时候，这样的邪恶势力摧毁了整个民族！在北美，不仅加州的雅希（Yahi）人和休伦（Hurons）人，可能还有其他二十多个印第安人部落，都被贪得无厌的土地拓荒者灭绝了；曾经有一次，拓荒者送给某个部落一件礼物：一辆马车，装满了他们明知被天花病毒污染的毯子。

巴西目前只剩下二十万印第安人，而起初的人口估计有四百万；在过去的七十五年间，每年都有一个以上的部落消失。人们可能以为这些消失的部落已经被同化到主流社会中，但事实并非如此；成千上万的人惨遭毒害、机关枪扫射，或低空飞行的飞机轰炸。另有成千上万的人遭遇更慢性且更痛苦的死亡——人的冷漠！因为外来者的入侵导致他们的文化瓦解，人们甚至听说印第安男人故意使自己妻子流产的情况，干脆不要让孩子出生到这个难以理喻的世界。

类似的悲剧正在全世界上演。今天，人们普遍关注濒危的动物物种，这当然没错，但是却有数以百计的人类种族处于更大的危险之中。保守估计，每年可能有五至六个具有独特语言的部落消失。

所谓"开明"的政策——"别管他们"，显然行不通。那么，什么可以阻止部落文化走向灭绝呢？政府赠地和世俗的福利措施可以在身体的层面上帮助他们，但是对部落百姓来说，最大的危险是这些措施都无法触及的。他们面临的最大危险是：原住民与超自然能力的那种"正确"关系感的破裂！每个原住民的文化都承认超自然力量的存在，并且制定严格的方式与祂"保持正确"的关系。当傲慢的外来者嘲笑一个部落的信仰，或是破坏其与超自然能力保持正确关系的机制时，就会产生严重的迷茫。由于他们相信是因为放弃了旧有的机制而受到咒诅，部落百姓开始变得孤僻和冷漠，又因为相信自己是注定走向死亡的族群，他们就用自己的行动来实现这个咒诅。

唯物主义的社会工作者和科学家帮助不了这些人。虽然他们没有明说，但是部落百姓能够感知到这些人对超自然力量的否定，于是他们更加沮丧郁闷；那么，谁可以作为属灵的特派员，真正服事这些人呢？没有别人，只有那些被流言蜚语污蔑成他们头号公敌的人，那就是以圣经为指导，荣耀基督的宣教士！

## 一个真实故事

据未得之地差会（Unevangelized Fields Mission）的罗伯特·贝尔（Robert Bell）说，不到一代人的时间，巴西的围围（Wai Wai）部落已经减少到最后六十几人。这多半由于感染了外来的疾病，而围围族人又用婴儿给恶魔献祭，想以此防止这些疾病的传染。后来，有几位未得之地差会的宣教士把自己当作该部落的人，学习他们的语言，为他们创建了一套字母表，把神的道翻译成他们的语言，教导部落的人阅读，并把现代医疗保健带给他们。

宣教士丝毫没有否认超自然的世界，

137

他们向围围族人表明：有一位慈爱的神，至高无上，主宰着超自然的世界，并且已经为人预备好了一条道路，让他们可以与祂"保持正确"的关系，是从前作梦都想不到的更深的层次。围围族人现在有一个理性且喜悦的依据，不用把婴儿献祭给恶魔了，部落开始壮大，并且正迅速成为巴西现今较为稳定的部落之一。现在，围围族的基督徒教导其他人口正在不断减少的印第安人族群，如何借着信靠耶稣基督来应对二十一世纪。

宣教士引入了文化变革，但却不是任意妄为，也不是靠武力强加的。宣教士带来的只是新约伦理和民族存活所需的改变。通常这两个需求有重迭之处。

也许说起来有点好笑，曾经有一个采访者责备我，因为我劝印尼的萨威（Sawi）人放弃食人的行为。"吃人有什么错？"他问道，"萨威人已经吃了几千年。为什么现在要他们放弃呢？"

我反问他，"一个食人族在当今世界上能存活下来吗？当然不能！萨威人现在是印尼共和国的公民，印尼不允许公民吃人哪！因此，我的任务是给萨威人一个理性依据，在警察用枪来解决这个问题之前，让他们自愿放弃食人的行为。"

在印尼的伊里安查亚省（Irian Jaya），约有四百个黑皮肤的美拉尼西亚部落刚刚从石器时代走出来，萨威族是其中之一。多年前，荷兰把当时称为新几内亚的伊里安查亚分给了印尼，现在已经有超过十万的印尼人迁移到那里。部落百姓准备好应付比他们更加积极进取的移民邻居了吗？还是他们会遭到灭绝呢？

两百五十多名福音派宣教士（还是太少）现在遍布伊里安查亚各地，向这两个种族传福音。他们懂得印尼语，又懂得岛上四百多种部族语言中的许多语言，帮助有文化冲突的族人相互理解。印尼政府的政策也很支持，宣教士的态度也乐观其成，希望尽量避免不同文化间的冲撞；借着信靠基督，已经有成千上万的伊里安人开始平稳地过渡到二十一世纪。确实，这么巨大的民族危机，指望那些纯粹为了商业利益的人以令人怀疑的仁慈来解决，实在是太不可靠

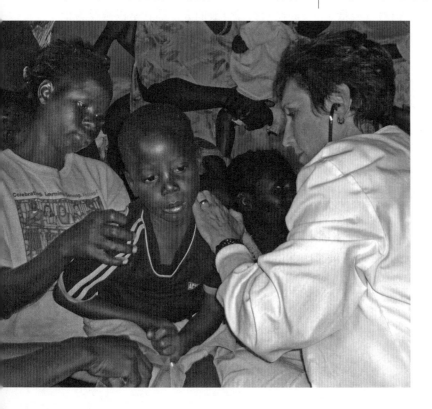

了。那些心中满有基督之爱的宣教士才是解决问题的关键。

## 宣教士是文化帝国主义者吗? 你来判断吧!

请仔细思想一个记者对宣教士的指控。当哈米什·麦克唐纳（Hamish McDonald）来到伊里安查亚报导1976年六月大地震的影响时，他的注意力转移到部落民族与宣教士之间的关系上。他将自己所观察到的现象写成文章发表在1976年八月三日版的华盛顿邮报（Washington Post）上：

【印尼伊里安查亚省查亚普拉报导】在这里的南部山区，基要派基督教宣教士在原始的部落民众中间引发敌对和甚至凶残的反应。近期发生了一件最野蛮的事件，大约一年半前，欧洲宣教士刚一离开去休假，就有一个差会的十三个当地助理遭杀害吃掉了。

宣教士也受到人类学家和其他观察人士的攻击，指控他们在传福音的地区试图完全毁灭当地的文化。据悉，近期暴力发生的根本原因，与罗马天主教和更正教主流宗派的差会较为变通的策略形成鲜明的对比。

估计最近的大地震已经造成一千多人死亡，基要主义者在偏僻的查亚维查亚群山中工作，他们目前在此承担着首当其冲的救援工作。

近年来，他们已经在查亚维查亚群山中建起了一些布道所。这是一个连地图上都没有标出、鲜为人知的

地区，仅在大约二十年前才第一次与外界接触。这里的美拉尼西亚人直到最近才学会使用金属工具，他们的食物主要是红薯、甘蔗、香蕉，辅以猪肉，偶尔也有他们用弓箭狩猎得来的有袋类小动物或鸟类。

这里的男人只穿瓟瓜套，一个长而尖的葫芦壳，用来罩着阴茎，女人前后只有一小束草。因崎岖的地形和语言不同，与近邻也是分开的；而且彼此长期不和，累世宿仇，不时发生争斗。

许多宣教士似乎认为福音与传统文化水火不容，他们看不出传统文化有什么重要价值。一位来自巴布亚新几内亚边境地区的宣教士提到，有一位老人始终回避他的布道，"对属灵的事情不感兴趣"。在某个山谷短暂停留的一位宣教士的第一反应就是把衬衫分给部落的人。在纳尔恰的布道所中，宣教士规劝当地妇女把草裙加长至膝盖，这显然是为了满足宣教士对于端庄的要求。

吸食烟草被视为罪恶，遭到谴责和禁止。直到最近，宣教空勤服务仍然检查行李，不让任何携带有烟草或酒类的人登机。

1968年，两名西方宣教士在查亚维查亚山脉南麓的山坡上遭到杀害。三个月之前，有一位美国宣教士因为态度不佳而被赶出了法马林可乐山谷。

这起食人事件发生在尼普珊人中的布道所。有一位荷兰宣教士在这里有本地的伊里安查亚人助理，是来

自福音传入较久的地区，离往西的瓦梅纳镇不远。当宣教士离开那里去休假的时候，当地部落攻击了十五位助理，杀死并吃掉了其中的十三人，另外两人逃到丛林中。有一支印尼军队后来进入该地区，不过没有深究，因为涉及到法律的难题。

荷兰宣教士后来到欧洲和北美有一趟筹款之旅，筹集资金购买了一架直升飞机。他的构想是通过广播来进行空中布道。但是据报导，一个月前在第一次尝试中，飞机上的传道人就遭到群箭射击。

与罗马天主教宣教士相比，基要主义派不受人喜爱。罗马天主教宣教士在伊里安查亚南部工作，该地区是由荷兰划分，于1963年移交给印尼人管理。

"他们之间的差别很明确，"查亚普拉的一位消息人士称，"更正教徒设法破坏文化，而天主教徒设法保存。"

在靠近南部海岸一个名叫贾敖萨卡的布道点中，天主教最近为一个主要由当地人设计的教堂祝圣，该教堂融合了阿斯马特人在墙上的传统雕刻。内布拉斯加州修会会长阿尔丰斯·苏瓦达（Alphonse Sowada）主教，在当地领袖的陪同下，穿着主教长袍主持了祝圣礼；当地领袖则在身上装饰着刻画的花纹、牙齿项链和穿鼻骨。奉献典礼的方法是撒上用焚烧贝壳的灰做成的石灰，按照阿斯马特人举行他们的公共建筑落成典礼的方式，用竹子容器把石灰撒在墙壁、地

板和祭坛上。

几乎所有在伊里安查亚的天主教宣教士，都必须获得人类学的学位才能开始履行他们的呼召，许多人已经发表过有关当地人的论文和专著。一位神父说道："我们的做法是有根据的，我们相信神已经透过现有的文化作工，因为神创造了万有，也在万有之中。"

1976年九月廿一日，我寄了一封信到华盛顿邮报。据我所知，迄今都从未刊登在"读者来信"当中，也没有采用做为针对哈米什·麦克唐纳自认为在伊里安查亚观察得出的断言，提出反对的平衡观点。然而，这篇文章选入了约翰·博得利（John H. Bodley）所编的广为使用的人类学教科书《部落民族和发展问题：全球概述》（*Tribal Peoples and Development Issues: A Global Overview*）中，[1] 作为其中一章。下面是我略微简缩的公开信：

敬启者：

几个星期前，记者哈米什·麦克唐纳抵达伊里安查亚，说要采访一个最近遭到地震摧毁的山区。至少他对帮助他的宣教士是这么说的，因为他需要协助才能进入该地区。

这场地震引起了人们的特别关注，因为冲击了许多地球上仅存的石器时代的部落栖息地，其中的一些部落至今仍然是食人族。地震引发了数以千计的山体滑坡，这一剧变毁灭了十五个部落的村庄，造成了一千多人死亡，留下一万五千多名幸存者，只

剩下15%的家园。麦克唐纳向正忙于筹划紧急空运粮食的宣教士提出要求，尽管从查亚普拉飞往内陆腹地的急救飞机上已经承载过重，宣教士还是慷慨地给他安排出一个位置。

若不是在过去的十五年中十几位福音派的更正教宣教士，探索出从前地图上根本没有标记的部落居住地区，整个世界也许永远都不会知道这些部落的存在，援助机构也不会知道他们的困境。冒着极大的生命危险，福音派宣教士成功地与这些疑心重、行动难以捉摸的部落民族中数以千计的民众交上了朋友。宣教士一丝不苟地学习和分析还没有文字的部落语言，这是一个极为苦闷乏味的任务，动力不强的人根本不会花时间去做。他们还开辟出四个简易机场，使得救援行动成为可能。顺便提一下，正因为这些努力，麦克唐纳才可能到达现场完成他的任务。

宣教士的飞机降落滑行后，停在简易机场上。麦克唐纳跳了出来，马上开始拍摄……

有几个原因，使得宣教士竭尽所能地尽快进入像伊里安查亚这样与世隔绝的地区。历史的教训告诉他们，即使是最为与世隔绝的少数民族文化，最终也必定会被主体民族在商业上和政治上的扩张所吞没。天真的学者可能在象牙塔内抗议，声称应该让世界上剩下的原始文化保持原样，但是农民、伐木工人、土地投机者、矿工、猎人、军事领袖、修路公司、艺术收藏者、游客和毒贩根本不会理会

> **我们冒着生命的危险抢先到达他们那里，因为我们相信，与唯利是图的商业主义者相比，我们是更富有同情心的变革促进者。**

这一点。

这些人无论如何都会进入。他们往往到这些原始部落中去搞破坏、欺骗、剥削、迫害、腐败、掠夺，除了把原始部落没有免疫力的、或是没有医药可以抵抗的疾病带入之外，他们毫无贡献。

我们宣教士不希望这样的命运临到伊里安查亚这些弥足珍贵的部落，就冒着生命危险抢先到达他们那里，因为我们相信，与唯利是图的商业主义者相比，我们是更富有同情心的变革促进者。就像我们在巴西的同道们在一代人以前把围围族从类似的命运中挽救出来了一样，我们相信，并知道如何预备伊里安查亚地区的部落在现代世界中生存下来。"应该有人去吗？"这个问题已经过时了，因为一定会有人去。

取而代之的是，要更加实际地问："最富同情心的人会最先到达他们那里吗？"这些人去帮助原始部落尽可能减轻走出石器时代受到的冲击，确保他们获得新的理念，来取代那些他们若要生存下来就必须抛弃的

理念；教导他们官方统一的语言，使他们在与"开化的人"发生纠纷时可以保护自己，同时还帮助他们用自己的语言创作出文学作品，不至被岁月遗忘而流传下来。这些人还教导他们金钱的价值，防止不法商人轻易欺骗他们；更好的做法是，帮助原始部落中的一些人经商，以便该地区的商业不至于完全落入外人的手中。这些人在原始部落遭到流行病或地震的袭击时关心他们；更好的是，培训原始部落中的一些人成为护士和医生，在外人离开之后仍然可以进行医疗工作。我们就是特派员，走入他们当中，帮助发生文化冲突的民族互相理解。

我们宣教士不仅宣导属灵真理，而且也拥护他们生存的基本权利，这在伊里安查亚和其他地方业已取得令人惊叹的成果。在伊卡里、达毛、达尼、奴瓦和其他部落中，有十多万名石器时代的人欢迎我们的"福音"，视之为他们各个文化中数百年翘首期盼的实现。伊卡里人称之为阿吉（*Aji*），达毛人称之为海伊（*Hai*），达尼人则称之为那波澜卡波澜（*Nabelan-Kabelan*）。意思是这是个不朽的消息，有一天将会抑制部落战争，减轻人类的痛苦。

结果呢？部落文化在最深层次上得到实现；而成千上万的人，进入了信靠耶稣基督的大门。

1968年，我们的两位密友，菲尔·马斯特斯（Phil Masters）和斯坦·戴尔（Stan Dale），在探索亚利部落的一个新地区时遭到杀害。但后来，亚利族一个名叫库撒侯的长老怒斥杀害他们的年轻人，他说："这两人从来都不曾伤害过我们任何人，连你们杀害他们的时候，都没有抵抗。他们的确是带着和平而来的，而你们却犯了这么可怕的错误！如果还有这样的人来到我们的山谷，我们一定要热烈欢迎他们！"

因为这两位朋友的牺牲，一扇接纳之门打开了！这是一个代价高昂的胜利，斯坦和菲尔的遗孀都要独自抚养他们各自留下的五个小孩。但两位寡妇都没有因为她们丈夫的死责怪任何人，其中一位迄今仍然与我们一起在伊里安查亚服事。

麦克唐纳明显地想要侮蔑并且惹怒我们，他挥舞着"基要主义者"这一陈词滥调，对我们发动严厉却毫无根据的攻击。他的报导在华盛顿邮报上看起来是一篇重头文章，并且被通讯社转发给世界各地数以百计的报纸。援引八年前菲尔和斯坦遭到谋杀的案件，他作出荒谬的指控，说我们"在原始部落的民众中间引发敌对和甚至凶残的反应"。他的报导继续声称："宣教士也受到人类学家和其他观察人士的攻击，声称他们……试图完全毁灭当地的文化。"

这些"人类学家和其他的观察人士"是谁呢？我们的队伍中有不少人获得过人类学的学位，并且过去二十多年来，我们一直与在伊里安查亚的许多人类学家合作，与他们保持良好的相互理解。

麦克唐纳指的也许是一个德国科

学团队中的其他三名成员，他在飞往内陆的途中曾在一个直升飞机停靠点遇到他们。据报导，他们中有人一直对我们持批评的态度，这些批评不是因为对我们的工作有广泛了解，而是他们那反对宣教士的情绪作祟，他们带着这种情绪来到了伊里安查亚。

定向改变（directed change）正是我们目前做的事情，事实上，宣教士是真正做这事的人。人类学家不会在部落中停留够长的时间，人道主义者也没有足够的动力去做这些。麦克唐纳指控我们正"试图完全毁灭伊里安查亚的当地文化"，他的证据何在？

他写道："在某个山谷短暂停留的一位宣教士的第一反应就是把衬衫分给部落的人。"这里提到的部落居民刚刚在地震中失去了大部分家园，印尼政府给他们提供了衬衫，帮助他们在晚上保暖，因为他们简陋的临时住所位在海拔很高的地方。我们不希望这时肺炎爆发，使本来紧张的救援行动更加复杂。宣教士约翰尼·本泽尔（Johnny Benzel）只是配合政府的指令，给部落居民分发衬衫。

在没有部落人民自己提出要求之前，我们未在任何地方给他们提供过印尼或西式的衣服；从原始到穿衣服，这个过程通常需要七到十五年的时间。部落教会的长老仍然戴着瓠瓜套在户外或草房里讲道，没有人会产生什么杂念；即使是在今天，绝大多数男人依然戴着瓠瓜套，而妇女则仍然穿着草裙。

是印尼政府，而不是宣教士，发起了一场除掉瓠瓜套的运动；他们试图让部族人感到羞耻，从而换掉他们的瓠瓜套和草裙，穿上短裤和连衣裙。政府这么做的原因也是可以理解的，是希望部落居民尽快融入印尼社会，尽快找到工作。

在纳尔恰，麦克唐纳拍到一张原住民用圆珠笔穿过他被刺穿的鼻子中隔的照片。这张照片出现在一些报纸上，还加注了可笑的标题："圆珠笔取代穿鼻骨，基要派宣教士毁灭文化"。是有一个原住民在约翰尼·本泽尔的废纸篓里搜寻到一支用过的圆珠笔，把它插在自己的鼻子上；这下好了，转眼间约翰尼就被指控破坏了文化。麦克唐纳，你真老奸巨猾！

那么，我们赞成当地文化中的一切做法吗？当然不，我们也没有，正如没有人在我们自己的西方文化里会自动赞成其中的一切。

我们要除掉食人的行为，这也是印尼政府要做的。不同之处在于，我们是用道德劝说，如果我们失败了，印尼政府最终将使用武力。

我们也试图制止部落之间已经延续了几个世纪的争斗。考虑到他们在未来五十年里必须经历到的一切，当务之急是停止部落之间彼此的残杀和伤害；借着我们强调在他们文化内很少使用的促和机制，经常能够阻止争斗。有时我们仅仅以第三方人士的身分出现，促使对立的双方能够以新的角度来看待他们的问题。

我们反对巫术，告诉他们这可能

143

> **随着我们在经验上和神所赐的智慧上不断长进，我们千万不可——也一定不会——破坏文化本身。**

是引起战争的一个主要原因。巫术导致的残杀不仅违背基督教良善的概念，与那些人道主义者的概念也是对立的，不是吗？

我们反对性滥交，还不只是因为宗教的原因。1903年，中国商人登陆伊里安查亚南部海岸，寻找极乐鸟的羽毛，他们把一种叫做淋巴肉芽肿的性病带进了有十万人口的梅琳德部族中。由于这里的人们广泛接受群交，这种性病就像野火一样蔓延开来，十年间就吞噬了九万人的生命。若是在中国商人到来之前，宣教士就已经引入了一种不同的性伦理，那么，无数人的生命就会幸免于难。

麦克唐纳说，与"罗马天主教和更正教主流宗派的差会较为变通的策略"相比较，我们的方式不受人喜爱，以此来进一步惹怒我们。

据我所知，在伊里安查亚还未曾有罗马天主教的宣教士被部落伤害或杀害过。这不是由于他们"较为变通的策略"，而是因为他们的工作实际上主要局限于政府已经控制得很好的地区。这话的意思不是要说他们不好，因为在巴布亚新几内亚边界境内，他们也有人殉道。

如果麦克唐纳肯花时间去造访罗马天主教和福音派更正教工作的地区，并且进行比较的话，他会发现罗马天主教地区的文化改变的程度一定超过更正教地区。例如，在所有罗马天主教的地区，原始部落的居民都必须放弃自己的部族名字，而取用拉丁语的名字，比如像比约或君士坦丢斯等；然而，在福音派更正教的地区，他们仍然使用自己伊里安人的名字，比如伊赛或亚男等。还有，如果这种定向改变是与生存相关的，那么，人们就不能从人类学的角度上横加指责。

麦克唐纳继续说道："几乎所有在伊里安查亚的罗马天主教宣教士都必须获得人类学的学位。"但实际上，罗马天主教和福音派更正教的宣教士持有人类学学位的比例几乎相当，但论到学习部族方言的功夫，福音派宣教士则要优秀得多；大多数的罗马天主教神父甚至在听不懂印尼语的地方，仍然使用印尼语来教导。

麦克唐纳描述了在贾敖萨卡一个新落成的天主教教堂在献殿典礼上撒石灰的做法。如果这代表他们文化渗透的最大限度，那么，我们的天主教朋友肯定还远远达不到要求。有效进行文化渗透必须走得更深，而不仅仅停留在撒石灰这样的外在行为；只有你真正理解了伊卡里族的阿吉或达尼族的那波澜卡波澜这类核心概念后，你才能逐渐接近这些民族的心灵。正如我们当中的一位对麦克唐纳说的："我们寻找的是文化的钥匙。"麦克唐纳引用了他的话，但完全没有领会这话的含义。

麦克唐纳的文章还有一点需要驳斥：荷兰宣教士筹集资金购买一架直升飞机，是为了给在伊里安查亚的所有部落群体提供一般服务，而不是为了"空中布道"。事实上，正是因为有了这架直升机，使得人们在地震的救灾行动中能够得到及时的帮助，并且，也正是这架直升飞机载了麦克唐纳，帮助他完成了采访任务。

麦克唐纳，你的文章错误百出、评论不当，极不负责。你是自讨没趣！你和华盛顿邮报都欠我们一个书面的道歉。

唐·理查生 谨上

宣教士破坏文化吗？的确，我们会破坏文化中的某些部分，正如医生为了保证病人存活下来，有时必须摘除人体中的某些东西一样。

但随着我们在经验上和神所赐的智慧上不断长进，我们千万不可——也一定不会——破坏文化本身。

## 附注

1. Mayfield Publishing, Mountain View, CA, 1988, pp. 116-21.

## 研习问题

1. 从麦克唐纳的批评中，你读到或听到了什么偏差？你认为对宣教士的这些批评是否公允？为什么？
2. 唐·理查森充分地反驳了麦克唐纳的批评吗？对于他的回应，你认为可以添加或删减什么？
3. 在部落社会中，你认为有什么比定向改变更好的策略吗？请解释其原因。

# 第80章　圣灵在社群中的作为

韦恩·戴伊 (T. Wayne Dye)

作者现任教于达拉斯应用语言学研究所。曾在巴布亚新几内亚任圣经翻译员二十六年，并在肯尼亚担任翻译员学术顾问五年。1974～2003 年，担任翻译员和本土牧师的顾问。本文摘自 *Missiology: An International Review*，葛伟骏编辑，Vol. 4, No.1, Jan. 1976。本文使用已蒙许可。

彼特是一位在部落群体中服事的宣教士。他为这部落的陋习，像一夫多妻、嚼食槟榔和吸烟等感到忧心忡忡，然而当地人对这些事情却不在乎。他们更看重怎样避免村里的意见不和，在他们眼中，违背丈夫、拒绝招待、轻慢领导、否认宗族义务和表现愤怒是更为严重的罪。

彼特很沮丧，越来越觉得自己所见的这些行为，表示这里的新信徒还严重缺乏对神的顺服，在他看来，有些人算是已经陷入淫乱的罪。因为这些人没有表现出符合他所期望的悔改证据，所以不相信他们会听到圣灵对他们说话。

彼特的问题可以归因于早在他来到这个村庄之前就有的一个观念。在家乡，彼特担任的角色有点像先知，同辈都很看重他的领导能力。在大多数情况下，他都能够准确地判断对错，他学会了辨别问题背后的属灵根源，很能劝勉同辈友人追随神的道路。

但是现在彼特住在一个全然不同的群体当中，他们有不同的世界观，是非的优先次序也不一样，他完全不明白这是怎么回事。他自认为是这里周围训练最好、灵性也最成熟的人，因此应该相信原来在本国文化中培养出来的属灵直觉，用传道和教导来反对新文化中的罪恶。

彼特假设圣灵会如何处理个人和群体的罪，但他的假定实际上可能会削弱而不是坚固新信徒群体。相反的，他要做的工作（实际上是每个宣教士的工作）就是相信圣灵已经在人们的生命中作工，仔细观察和理解圣灵如何工作，并且与神配合。

## 圣灵的角色

宣教士必须明白，神的灵如何将祂的标准和圣洁方式植入福音对象群体的心灵，使他们学会忠心聆听神的道；如此，神的灵就会光照他们。"要让神改造你们，更新你们的心思意念，好明察什么是祂的旨意，知道什么是良善、完全，可蒙悦纳的。"（罗 12:2，现代中文译本）圣灵以这种方式借着神的道，使个人和群体达到基督徒成熟的灵性；宣教士必须训练自己，明白圣灵工作的这个过程，并且要对圣灵的工作有耐心。

## 群体的角色

每一个群体都有是非标准。根据文化中的世界观、信仰和价值观的不同，这个标准有的接近圣经的教导、有的离得较远。然而有证据表明，某些有关是非的核心概念确实非常普遍，这样的价值观可以在从未听过犹太教和基督教教导的群体当中找到。像禁止撒谎、偷窃、谋杀和奸淫等，实际上非常普遍；只是对于究竟是什么构成了各种罪的看法，每个群体还是有很大的差异。我们在尚未受到基督教影响的巴布亚新几内亚部分地区，和菲律宾群岛发现了这一点。艾伦·比尔斯提到在印度的一个印度教村庄里也有一套类似的道德规范。[1] 这三个地方的祖传规则与十诫都有类似的地方。

罗马书第十四章帮助我们看到文化和群体如何影响我们对罪的看法。罗马的教会中有一些素食主义者，因为他们曾经以吃献祭的肉来敬拜偶像。另一些人是犹太基督徒，他们吃肉，不过坚持遵守犹太教

的节期。不同的文化背景导致他们对某些行为的看法产生分歧。

保罗回应说，重要的不是行为本身，而是人与神的关系（v. 17）。一个人必须做自己认为讨神喜悦的事情（v. 12, 18, 22-23）；只是不同的人会选择采取不同，甚至相反的行为去讨神喜悦（v. 2-3, 5-6）。难怪保罗教导说，不可蔑视那些遵守似乎与我们毫不相关的条例的人。我们不应该觉得，自己比那些不按照我们理想中的基督教行为去行的人更属灵（v. 10）；换句话说，我们每个人都要向神交帐，只有主人才确切知道他要每一个仆人去做什么。

这一切听起来好像是道德相对主义，但实际上完全不是！道德相对主义允许每个人依据功利和偏好来制定自己的是非观。与此相反，圣经包含着普遍原则，是要塑造我们的良心，人不能决定自己的道德准则。

新来的宣教士可能容易看出某个群体里的罪恶，但其中的人却很难看清。他们可能比较注重遵守某些行为，但对另外一些则毫不在乎；可能把道德视为民事问题或个人的私事，与灵性无关。这样一个群体的良知状况与神给他们的终极目标相差

### 圣经的绝对性与道德相对主义的对比

| | 圣经的／普遍绝对性 | 道德相对主义 |
|---|---|---|
| 终极权威 | 神 | 个人 |
| 圣经的要求 | 要去顺服 | 作为建议 |
| 道德指导的源头 | 圣经 | 群体 |

甚远，但当他们认识神，对神有了回应，神能够彻底改变他们的是非观。

## 渐进的信念和改变

任何跟随基督一段时间的人都经历过圣灵光照使我们知罪的经历，圣灵使我们看见自己原来并不认为有罪的行为。这不是一蹴而就的，神不断的、一步一步引导人们经过更新改变的过程，叫我们越来越有基督的样式。同样地，神借着祂的灵和道也在信徒群体中逐步带来改变。我们发现，对于某些罪，圣灵在不同人心中动工，使其知罪的顺序并不相同。

随着圣灵循循善诱，指出个人和群体的罪恶，整个社会最终会朝着更加公正、仁慈和正直的方向转变。纵观历史，社会的改变革新一直都是随着许多基督徒共同回应神的道而推动的。神在一些英国人中作工，揭露贩卖奴隶的罪恶，奴隶贩卖得以废止，就是一个实例！诗歌《奇异恩典》的作者约翰·牛顿（John Newton）广为人知。他作了多年基督徒贩奴船船长，都没有认识到奴隶制度本质上的邪恶，直到真正悔改信主之后多年，他才明白奴隶贩卖的错误。后来，他协助威廉·威伯福斯（William Wilberforce）废除奴隶制的工作。

彼特想要矫正神还没有使当地群体认识到的罪，但忽略了其他在当地人看来才是真正问题的罪。实际上，彼特的所作所为无意之中取代了圣灵将对这些人作的工。若是他先试着倾听圣灵如何使人知罪，并且配合圣灵在个人以及整个群体中的工作，他的事奉也许会更有果效。

有信徒回应了彼特的劝诫，但他们仍然面临着难题。因为他们觉得从彼特那里听到的，与从神那里听到的不一致。他们感到很迷茫，挣扎于了解神到底想要他们怎么做。某些群体甚至可能依样画葫芦，努力遵从宣教士的一切建议或行为，例如刷牙或在餐桌上摆花。基督徒的行为如果与当地的是非观脱轨，反而会阻碍圣灵发展新信徒聆听和顺服神声音的能力。

这种困惑会拖延本色化教会的发展。喀麦隆首都雅温得（Yaounde）的一位著名牧师曾经解释过他的教会所面临的一些道德难题。喀麦隆的基督徒对西方基督徒的生活标准非常不认同，因这些文化误解，有些非洲信徒离开教会，组织他们自己的独立团体。更糟糕的是，另一些坚决跟从宣教士的喀麦隆信徒，因为对基督教的回应违背了自己群体内部的是非观，而失去了信仰的活力。

## 把人带入圣经

新信徒需要被引导深入了解整本圣经，学会把圣经视为自己终极的权威。教导圣经时，要强调神希望人们遵循的原则，例如爱人如己、彼此饶恕、和平相处、尊重家庭等等。但一般宣教士不喜欢教导原则性的事物，反而设下关于食物、典礼、礼仪、日子和地点等各种规条。保罗在罗马书第十四章17-18节中清楚地指出了一条原则：

因为神的国不在于吃喝，而在于公义、和睦，以及圣灵里的喜乐。这样服事基督的人，必蒙神喜悦，又得众人嘉许。

我们在巴布亚新几内亚境内巴希内莫（Bahinemo）的教会中观察到的情景，把这段经文活画出来了。我们带领大部分瓦古村的居民接受基督之后，就敦促他们向神寻求智慧和引领，让圣灵指导他们应该如何行事，哪些该做、哪些不该做，什么仪式可以保留、什么仪式必须摒弃，以及如何对付罪等等。并教导他们用祷告、查考神话语的方式来寻求。对于那些与他们寻求答案的话题有关，但还没有被翻译成当地语言的经文，就收集起来给他们。我们往往对于一些在我们看来不讨神喜悦的活动，没有耐心；但要非常小心，应当避免把我们自己的意见告诉他们。我们希望他们当中的领袖以及每位信徒，与神建立真正的关系，学会听从神的声音，而不是一味地跟从我们。

渐渐的，他们把重点放在彼此相爱和与兄弟和平相处上；审查自己典礼的习俗，除掉那些引起痛苦，或者可能与任何灵体有关的仪式，而保留典礼中带来团结、美好、欢乐与和平的部分；也恢复了失传的村庄法庭来解决冲突，而不是用吼叫和争斗来处理。他们找不到反对一夫多妻制的经文，但是他们判定，一个年纪大的男人有几个妻子，而三十岁以下的男子却一个也没有，这显然是自私的行为；他们不要求任何人离婚（这在族群中是闻所

---

**附篇 80-1  让圣灵作工带来更新**

1. 向你受差前往的群体，学习他们的伦理体系。要深入到表面之下，发掘他们的价值、意义和关于是非的信念体系。

2. 将你所发现的与自己的群体相比较，再把两个群体与圣经原则相比较。请特别留意两个群体中的优缺点，这会帮助你克服盲点和民族自我中心。

3. 在不违背自己的良心之下，学习在福音对象群体中根据他们的文化标准，活出一个富有爱心的生命，活出每个人都认为好的生活。

4. 鼓励信徒在圣灵指出他们的罪时，即时大力回应。有些事情虽然受文化认可，但却与圣经相冲突，宣教士要耐心教导信徒了解神设立的标准。另一方面，纵然这个群体的一些方面使你烦恼，但若没有与基督教信仰不相容，就要学着接受。

5. 期望圣灵持续作工，打开信徒属灵的眼睛，最终更新改变他们整个群体。不断从信徒群体中收集一些正面回应，看出圣灵如何在他们的生命中作工，学会信任并顺服他们在聆听神的声音时获得的属灵亮光。

6. 教导新信徒顺服和依靠圣灵，保持无亏的良心，让圣灵可以不断教导他们新的真理。使他们认识原汁原味的圣经，而不只是你帮他们"消化好"的圣经。培养他们归纳圣经信息的能力，以得到明智且真正符合基督信仰的处事原则。

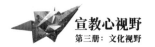

未闻的），但如果还有男子连一个妻子还没有的话，他们就禁止任何人娶第二个妻子。这条规则大幅降低了村子里奸淫和滥交的比率！十五年之后，所有的年轻男子都有了妻子，大部分一夫多妻的状况随着自然凋零而逐渐消失了。

宣教士必须在群体中成为学习者，研究他们的道德观和属灵价值观，并与圣经和自己的文化进行比较。这会帮助宣教士了解圣灵如何使这个新的群体知罪，如何教导他们，并与圣灵同工，促成改变。当越来越多的人成为信徒，就可以帮助他们从一个群体的立场去发现神对他们整体的旨意。把这族群新信主的人引领到神的话语中，他们自然就可以"恐惧战兢"（腓2:12）作成自己的救恩。

## 附注

1. 比尔斯（Beals, Alan），*Gopalpur: A South Indian Village* (New York: Holt, Rinehart and Winston, 1962), pp. 50-52。

## 研习问题

1. 概括彼特的问题，指出他应该怎么做？

2. 在使人知罪的应用上，道德相对主义与圣经的绝对性之间有什么区别？

3. 以作者戴伊与巴希内莫的教会一起工作为例，请说明宣教士应该如何帮助新信徒学会把圣经作为他们的终极权威？

# 第81章　本色化教会的文化意涵

威廉·斯莫利（William A. Smalley）

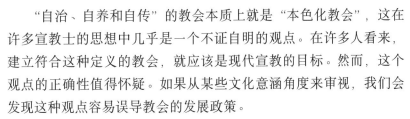

"自治、自养和自传"的教会本质上就是"本色化教会"，这在许多宣教士的思想中几乎是一个不证自明的观点。在许多人看来，建立符合这种定义的教会，就应该是现代宣教的目标。然而，这个观点的正确性值得怀疑。如果从某些文化意涵角度来审视，我们会发现这种观点容易误导教会的发展政策。

在我看来，"自治、自养和自传"并不是判断本色化运动有没有成功的必要标准，我们还需要其他的角度。虽然在其中会有一些"三自"的要素，但本质上是有各自的重点。"三自"似乎已经成为口头禅，人们习惯不加思索地就给这个教会、那个教会贴上这一标签；然而，在了解事实之后，并不见得都名符其实。

## 对自治的误解

建立一间非本色化的自治教会并不难，目前许多自治的教会都不是本色化的。你只需要找几位领袖，给他们灌输西方教会的治理模式，然后让他们接手，就能建立起这样的教会。结果，人们把外国治理教会的方式照搬过来，就算可能依据当地的治理模式稍作修改，但再怎么看都不能算作本色化教会。

真正本色化的教会运动在某种程度上，是由外国人来"治理"的，这是极有可能的。世界上发生的大规模归主运动中，宣教机构也往往是从治理方面对社会上层施加影响，至少是对与该运动有关系的社会上层（这些运动所涉范围甚广，外国机构如欲对其加以控制，难度比管理大部分宣教工作还大）。所谓治理，有的由宣教士直接治理，有的由接受过外国治理模式培训的几个教会领袖来治理；虽然这种模式在很多情况下效果并不理想，但其中的本色化性质，却不会因为几个人而减损半分。

## 对自养的误用

没有人会不赞同公元一世纪的耶路撒冷教会是本色化教会。耶

作者曾在联合圣经公会（United Bible Societies）工作二十三年，退休后担任圣经公会的顾问。他曾积极参与多伦多语言研究所的筹建工作，是明尼苏达州圣保罗伯特利学院（Bethel College）的荣休教授。1955～1968年，他担任 *Practical Anthropology* 的编辑。本文改编自作者编辑的 *Readings in Missionary Anthropology II*，1978年。版权使用承蒙许可。

路撒冷基督徒的态度具有强烈的犹太色彩，甚至对外族人归信基督感到厌恶——除非他们也遵守犹太律法规定的礼仪；然而，这间教会在缺乏的时候也接受来自国外（按现在的说法是西方欧洲）的馈赠。保罗亲自将其中一些捐助送到耶路撒冷，没有人觉得接收这些捐助有损于犹太教会的本色化性质。

我相信，也没有人会认为现今新兴教会接受到这样的捐助，就一定侵害其本色化性质；尽管这在接受宣教机构补贴的新兴教会，会有这种危险！但是对他们教会本色化性质并没有受到影响。

在中南半岛战争时期，我在那里作了几年宣教士。那些日子，整个国家一片混乱。由于战线转移，教会可能在接到通知之后的几个小时内就被切断与差会的联系；那些曾经受到差会津贴的群体可能突然之间失去外援，落入非常糟糕的经济状况之中。我和大多数同工一样，对于我们无法再资助当地工人进行各样事工，感到无能为力；在这危急之秋，我们花了很大的力气让教会在自养上站稳。

只要有可能，自养确实是教会在经济上最可靠的方式，这对教会和差会来说都是健康的。但的确有一些情况是不可能、或是还谈不上自养，因为那样将使得教会增长变成几乎不可能。因此，在这些情况下，依靠外来资助并不一定意味着这就是一间缺乏本色化的教会。在差会和教会的模式中，外来资助是否成为独立的变数，取决于人们如何处理问题，以及差会如何拒绝操纵资金来控制教会生活。如果以符合本地的方式处理外来资金，尽管仍有危险，还是不会使教会失去本色化性质。

举例来说，通常我们不可能指望新兴教会在出版、圣经翻译、教育、医疗卫生，以及许多其他完全超出他们经济能力的领域实现自养。这些有价值的活动，不应当单由本地教会参与，现代世界众教会都应该参与其中。这些事工是否要以一个“本色化的方式”进入到教会的圈子中，完全取决于改变的途径，而不是经费从哪儿来。

## 对自传的误认

在我看来，三自中的“自传”是最能判断教会本色化程度的标准，但在此需要重申，二者之间并不存在必然的关联性。在世界上的一些地区，可能正是教会的外国特色吸引了非信徒；在这些地方，人们期望与强大的西方国家认同，而教会正好提供了这种认同的管道。[1] 在这种情况下，自传只不过是一条通向非本土关系的道路而已。

## 本色化教会的性质

我强烈怀疑，“三自”模式实际上是美国价值体系对非西方教会的一种投射。因为在本质上，这正是以个人主义和权力为基础的西方概念。将这些理想强加于他人，将不可能发展出真正本色化的模式。我们大谈本色化，实际上作的却是西方化。

那么，本色化的教会到底是什么呢？它应该是一群活出自己生命的信徒，在社群性的基督教活动中采用当地的方式，乃至于其社会革新源自他们感受到的需要，

> **真正本色化的教会在圣灵带领下发生的改变，的确会满足该社群的需要，实现他们所寻求的意义，而不是任何外面团体认为的意义。**

并在圣灵和圣经的引导下实现。在这个定义之下有几个基本要素，首先，教会是一个社群。作为社群，就有人与人之间交往的模式；那么一个本色化的社群、一个本色化的教会，其交往的模式就是以当地社会中已经存在的方式为基础。这种情况准没错，因为人们是在平常的文化熏陶和成长背景中学会彼此交往的，这些平常的习惯又被带进了教会结构中。如果宣教士把其他模式强加给教会，不管是有心还是无意，这样的教会就不是一个本色化的教会。

然而，圣灵的同在是本色化教会的另一个基本要素，圣灵的同在会带来个人生命和团体的更新变化。但是，正如我在另一篇关于文化变革之性质的文章中所指，[2] 这样的转变在不同的社会里，人们依据自己的行为和生活中的需要会以不同的方式发生。宣教士通常会赞成、并致力于使人们在形式上更像自己的文化变革（尽管宣教士可能会忽视这种形式所包含的意义）。真正本色化的教会在圣灵带领下发生的改变，的确会满足该社群的需要，实现他们所寻求的意义，而不是任何

外面团体所认为的意义。

这些话许多人都说过，但必须加以详细的阐述后，才能更充分地描述本色化教会的性质。为了明白教会的性质，有时我们会转向新约圣经寻找答案（这没有错）；但是，在新约教会的正式结构和运作中却是找不到答案的。事实上，耶路撒冷的教会在运作方面显然不同于欧洲的教会；对犹太人来说文化的问题非常重要，因此他们彼此的见解也有不同。不过在新约中，我们确实找到了本色化教会的面貌——就是圣灵在社会处境中作工，产生更新变化的教会。因为社会各不相同（就像希腊世界不同于犹太世界一样），所以由此产生的教会也不相同。

## 宣教士不喜欢

说了这么多，现在我想要强调"本色化教会"的一些含义，是人通常没有意识到的含义。其中之一就是，往往宣教士本身不喜欢本色化教会；因为，一个真正本色化的教会可能就是该地区的差会担忧和尴尬的源头。

我们从威廉·雷伯恩博士报导的多巴（Toba）印第安人的教会可见一斑。[3] 差会对本色化教会如此迅速地在多巴部族中间扩展感到不安和不满，因为他们呈现的形式与差会团体极为不同；直到宣教士在教会中看到了前文所讨论的教会性质，又看到圣灵而非他们自己在这个社群中作的工，这才甘心情愿地接受了本色化教会的存在，设法将自己的计划与他们协调，以使教会壮大，神得着更大的荣耀。

也有一些本色化教会运动是宣教士赞

同的。这往往是因为宣教士有非比寻常的洞见和视野，以致可以超越他们自己文化形式的局限，承认圣灵也在其他族群中运行无阻。在另些时候，新兴教会群体的普遍价值体系恰与我们的一致，反映出许多我们也看重的事情。比如，中国的"耶稣家庭福音运动"展现的朴素、清洁、节俭等优秀的为人品格，也正是在我们自己社会中高度重视的美德，就被视为基督教会福音推动的成果；其实，这些原是非基督徒的中国人在生活中也崇尚的美德。这种情况就是，一个被圣灵更新的生命实现了已经存在于自身文化中的价值体系。但是，在多巴人中间却不是这样；多巴人是借由捐献财物，与自己的亲戚和邻居共用，以及投入充满情感的宗教表达，来呈现自己的价值观。

然而，正如雷伯恩博士所说，当神对族群和文化进行判断的时候，我们大多数的人都想加入陪审团。可是，我们连审判的意思都不明白；只是迅速作出评估，急忙决定新教会应该遵循的路线，或新的基督徒应该遵守的行为。但事实上我们既没有能力、也没有资格作出这样的决定，因为我们对这个族群或这个人的文化背景知之甚少，甚至一窍不通。

我们的工作首先要从其文化的角度来看圣经，看看神如何带领不同文化处境中的人？观察神如何随着犹太文化历史的变迁而改变带领的方式？认识到无论在何地，神都是根据他们的文化来对待他们。其次，我们的责任是将新的基督徒引入圣

经，帮助他们从圣经中看到神如何与其他民族互动？这些民族的情感和问题就本质而言与他们的非常相似；有时在具体的目标或生活形态的表现上，二者有相当大的差别。我们要做的是让他们学习神的道，寻求圣灵的解释和带领，借着祷告明白神要让他们如何行。

宣教士如果相信"本色化原则"，那么他的任务就是宣讲神在耶稣基督里使世人与自己和好的信息。这个好消息是超越文化的，适用于所有文化和所有地方，所产生的信心是超文化的；但传播的媒介和怎么传达，以及个人生命中如何显露则不是超文化的，那是与每个族群的习惯和价值观密切相关的。宣教士蒙召，正是去传递这个颠覆世界的好消息，过去如此，未来依然是。

宣教士还有一个责任，就是在人们愿意并且需要的时候，为他们提供文化形式方面的其他选择。宣教士以其历史知识、对圣经的理解，以及对本国和其他宣教地区的教会的了解，往往可以给当地群体提供建议，走出进退两难的困境，在基督里实现比他们现在更好的生活形式；这肯定是宣教士理所当然要做的，也是他们在文化的更新变革中可以发挥的作用。但是，如果要有真正的改变，则必须由当地人亲自作出选择和决定；也就是说，如果教会要本色化，就必须根据这些人的需求、问题、价值观和世界观而作出选择。

是他们的教会要亲自决定喝烧开的水、戒酒、穿衣和一夫一妻制等是否是基督徒在社会中合宜的行为？教会在圣灵带领下，确定怎样才能真正促进自己成长、传播美好见证和支持自己正式的领导架构

（如果有的话）。

如前所述，要明白本色化教会的含义，可以追溯到耶路撒冷的犹太化基督徒。他们是用希伯来人的眼光来审视希腊化的基督信仰，在这一点上，他们与许多宣教士没有两样。他们认为，如果外族人要归信，那就必须完全照着既有的模式。

但是，显然新约圣经否定了这种观点。教会是一群生活在自己社会里的信徒，他们像盐在菜肴中发挥的作用一样，在社会中带来化学反应，而不是像犹太化基督徒那样把社会切割成块。这与基督信仰的独一排他性并不矛盾；教会是一个分别为圣的群体，但这是指在属灵范畴内分别出来归于神。在本色化教会里，圣灵与社会之间的关系成为现实，这才是新约的教会。

本色化运动产生的归信者未必比邻居更清洁、更健康，或受过更好的教育。事实上，往往就在他们变得更清洁、更健康和受到更好教育的时候，拦阻他们与邻居进行本色化互动的障碍也开始增加，结果本色化教会的推展开始减弱。正如马盖文博士在其巨著《福音桥梁》中所指出的，传统上差会不把资金投入到推动族群归主的事工中，而是投入宣教站、庞大的宣教院落、附属教会。他们没有投入到令人尴尬的本色化教会的基层发展上。

不仅许多宣教士不喜欢本色化教会运动的一些典范，他们本国的资助者可能更不赞赏。我们的文化价值观如此深刻地渗入教会，以至于认为企业型结构、是否有回报率、个人主义和开源节流等才是基督教的表达形式，大多数人难以接受神会以不同于我们期望的形式来作工。

我认为，本色化教会的含义中有一样一定会遭到许多宣教士嫌弃，那就是宣教士不能为基督徒作文化决定，我这样说的意思并不是指宣教士不用作价值判断。宣教士禁不住会这么做，也不应该希望不这样做，因为人一定都会有判断；但宣教士的价值判断必须以跨文化为导向才有价值。同时，我也不是说宣教士不能在教导、传讲和建议上发挥作用；事实上，当宣教士做这些事的时候，一定会带给新兴教会引导和帮助。

## 本色化教会不能被"设立"

下一个含义——本色化教会不可能被"设立"——往往还没有完全渗入到讨论本色化运动的宣教士的思想中。论到"设立"或"建立"教会，这乃是基于西方的价值观和表达方式；圣经中用"栽种"和"收割"的形象来描绘，比我们西方人的具体实在多了。

是的，本色化教会是无法被设立的，只能被栽种！宣教工作常常对哪些种子发芽成长困扰。他们常常这么想，怎么在精心培育的外国差会的花园中，会有那些令人讨厌的杂草，繁殖蔓延，很碍眼碍事。其实差会"设立"的教会就像精心培育的温室植物，植根在差会的机构和文化的花盆里，却不能伸展开来从自己生活的土壤中，或从神话语的土壤中汲取营养。

## 本色化教会非由差会而生

本色化教会这个理念还有一个含义，即伟大的本色化运动往往不是外国人直接作工的结果；它的肇始可能来自某些受外国宣教士的努力而归信的人，但本色化教会的开启或兴盛，并非受外国宣教士的直接影响。使徒保罗对希腊世界来说并不是外人，他是一个双文化背景的人，在希腊世界中就像在希伯来世界中一样得心应手。他将从希伯来世界的基督徒那里领受到的信息传递到希腊世界去。

先知哈利斯（Harris）沿着非洲西海岸游走，宣讲将有人带着一本圣书到来，他不是外国宣教士。那些以五旬节的形式把福音带给多巴族的人不是外国人也不是多巴人，而是生活在多巴人地区贫穷阶层的拉丁美洲人，是西班牙人与印第安人的混血居民，但是多巴人在他们当中找到自己的文化图景；他们也不是外国宣教士。中国的群体归主运动通常是中国基督徒忠心努力的结果，不是由于外国宣教士传的福音，除了有些基督徒可能是由外国宣教士带领归主的。

林伍德·巴尼（Linwood Barney）描述的苗人归主运动，也不是由于宣教士的传道产生的，而是一位由宣教士带领归主的苗族巫医，带着另一位当地都很熟悉的苗族人一村一村、一寨一寨地，同心奔走于各城各乡、传讲福音的成果。

西方文化特殊化到了极致，我们与其他大多数文化的鸿沟非常巨大，以至于我们的工作几乎没有什么途径可产生出任何本色化的东西。很讽刺的是，西方世界可以说是当今世界上最关心基督教传播，也是在经济上最有能力承担全球宣教任务的；但在文化上，却最不适合执行这个任务，因为我们独树一格到一个地步，很难充分明白其他族群也有其特色。

## 结论

除非我们愿意看到教会在不同的文化中有不同的表现形式，而不是一味地输出历来植根于我们教派的模式，却与世界上其他地方毫不相干，我们就不可能看到本色化的教会出现。管他是不是"自治、自养和自传"，唯有当我们愿意让教会成长，才算懂得把教会的社会土壤交托给圣灵。我们往往担心圣灵会不会像小孩子，操作不了复杂和危险的玩具；这根本不仅只是在别的族群面前大摆家长作风，也暴露了我们对神的不放心。

### 附注

1. 马盖文（D. A. MaGavran），《福音桥梁》（*The Bridges of God*）(London: World Dominion Press, 1955)。
2. 威廉・斯莫利 "The Missionary and Culture Change," *Practical Anthropology*, Vol. 4:5 (1957), pp. 231-237。
3. 雷伯恩（Reyburn, William D.），"Conflicts and Contradictions in African Christianity," *Practical Anthropology*, Vol. 4:5 (1957), pp. 161-169。

### 研习问题

1. 根据作者斯莫利的说法，"本色化"教会的要素是什么？
2. 为什么宣教士不能"设立"一个本色化教会？
3. 为什么作者说宣教士不喜欢真正的本色化教会？这与他关于宣教士容忍度的结论有什么关联？

# 第82章　宣教士在文化变革中的角色

代尔·可兹曼（Dale W. Kietzman）、威廉·斯莫利（William A. Smalley）

代尔·可兹曼现任拉美印第安事工总干事（Latin American Indian Ministries）。曾是克里威廉国际大学跨文化传播系教授。1946年，他加入威克里夫圣经翻译会（Wycliffe Bible Translators），在秘鲁的Amahuaca印第安人中服事。他也是威克里夫联合会（Wycliffe Associates）的创建者。他还曾任逐家文字布道会（前世界文字布道协会）的主席。

威廉·斯莫利，简介见81章。

任何有思想和见识的人都会承认，宣教士是历史上非西方社会的文化变革和促进者；然而，他们这种开启文化变革的角色，却经常要面对来自自己、支持者和批评者的各种严重误解。宣教士对这个问题的基本态度、与相关地区的宣教基本政策，都不可避免地对福音能否成功传播，以及基督教"本色化"的发展产生深远影响。

一些批评宣教事业的人士过分夸大宣教士的影响，谴责宣教士以破坏价值观、消灭部落文化、冷漠或冲突等方式，"强奸"了非西方世界的文化。在宣教历史上，确实有一些不必要且具破坏性的文化干扰事例，但是在大多数情况下，相对于西方的商业、政治和教育，宣教士的影响其实相当微小，更比不上西方电影和读物带来的不良影响。也有一些突出的事例，看出福音及其带来的文化变革，为已经大幅变化的文化提供了重新融合的机会。

另一方面，许多基督教宣教的支持者，则根据一些明显和有象征性的文化变革，来肯定自己的整体计划；这些文化象征诸如推行一夫一妻制、理发、到教会礼拜、消除纹身等等。宣教士把这些改变看作是事工成果的标志。差会和宣教士虽宣称不会引进西方文化，只传福音，但在这方面，与那些跟他们做对比的人并没有什么两样，不过是没有带进西方的体制（医院建设、教育事业、农业活动等），却没有否认他们其实也扮演了西化代理人的角色罢了。当他们看到一个人学会了用象牙牌肥皂洗澡，用高露洁牙膏刷牙，剪个符合"文明"时尚的发型，就非常兴奋；但如果另一个人不放弃他的第二和第三个妻子，或是在教会没有奉献金钱，就视之为一个值得担忧的问题，因为这个人显然没有遵循他领受的"福音教导"。

## 文化变革所需的动机

只有当人感到需要改变，文化的变革才会发生；人们不会无缘无故地改变自己的行为，除非他们觉得有必要。这个需要可能微不足道，比如是为了寻找一些新鲜的刺激或娱乐，也可能是心灵深处的需要，例如在一个支离破碎的世界中寻找安全感的盼望。通常这种需要大多是无意识的，人们不会特别去厘清与解释，却会激发一些行为。重视文化变革的宣教士一定要牢记，通常那些需要都是不容易观察到的，要尽力找到并做出满足需要的改变。

例如，宣教士看到在老挝和越南的一些部落居民需要穿衣服。许多宣教士觉得人们需要衣服可能是为了端庄（因为在一些情况下，那里的女人习惯在腰部以上一丝不挂），或是为了在寒冷的季节保暖。有些需要人们自己感觉到了，但对另一些人而言还要考虑其他的因素，这些就显得没那么重要。对当地人来说，根本不觉得自己需要为了端庄而穿衣服，因为他们觉得自己的穿着已经够端庄了。

当宣教士的物资桶来到，衣服被分发出去，也有些时候人们自己添购新衣；他们是在追求什么满足呢？其中一个因素，是在让自己在外人眼里显得值得尊敬，特别是得到有声望的人的接纳。这就是为什么通常女人在村子里不穿上衣，但进城或当宣教士出现的时候，她们就会穿上。因此，衣服可能成为一个象征，表明自己被宣教士接纳，以及代表与宣教士的关系所带来的地位和声望。另外一个因素，是想比众人高一等，于是穿上一些稀罕的衣物，或购买一些邻居买不到的物品。

例如，有一位东南亚某个部落的传道人，从宣教士的储藏大桶中得到了一件大衣，结果，他是整个部落中唯一拥有大衣

的人。在那个地区，一年里只有那么两、三个月的晚上需要穿毛料的衣服，天气从未冷到需要穿大衣的程度。有次大热天，在穿越崎岖的山区丛林的旅途中，穿T恤和棉布裤子的人个个都大汗淋漓，但我们这位老兄还穿着大衣！如果不穿，人们怎么会知道他有一件大衣呢？队伍中还有一位女士，在腰部以上，除了戴着一副材质不错的粉红色胸罩之外，什么都没有……。

有人在信主之后开始洗衣服，倒不一定是因为爱基督；但在宣教士看来，这正好证实了他们看重的"清洁仅次于圣洁"的观点。人们选择从一夫多妻转变到一夫一妻、参加教会的活动、参与教会治理、学习阅读或送孩子去学校读书，这些变化表达出什么呢？我们不要过早下结论，人们对神的需要从来不涉及到这些事情；但即便如此，人们的动机总是混杂的。

显然，宣教士的典型反应是，赞成那些使其他人在外表行为上改变得更像自己的文化，而这些行为的内在意义是否相同则不予考虑。他们很可能鼓励当地人发展出某种表达，同时也满足他们的某些需要，但很可能并不是宣教士真正要的改变。

## 教会在文化变革中的角色

文化是不断变化的。就本文的目的而言，我们特别看重文化从内部不断的改变。虽然学界对适应主流文化的课题著述颇丰，但是对那些创新、不服常规或叛逆的角色却着墨甚少。然而，所有社会都有这样的人物，他们在文化的不断变化中发挥着自己的作用，而不断变化正是所有文

# 教会是圣灵的真正代理者，带给社会文化变革。

化的特点。宣教士需要注意到，改变几乎总是由文化群体内部的某些个人发起的；尽管想法可能是因为与另外一个文化接触而激发出来的，但它还是必须由内部引起，才能被整个文化接受。引入改变的另外一种方式是透过道德或物质上的强权，强势地改变一个群体。大部分情况下，宣教士需要为这样的强行改变负责，因为带来的往往是令人遗憾的反应。

教会（整体信徒，**不一定**是有宗派有组织的机构）是圣灵的真正代理者，带给社会文化变革。教会是盐，渗透到整个社会；整个社会因为有了与神之间的新关系，而不再一样了！基督的身体，比较能够理解当地社会那直觉的、不加分析的动机和意涵，这是宣教士无法做到的。因此，决定一定要由教会来做。

## 宣教士的角色

那么，对于文化变革，宣教士能做什么呢？他们能只传讲不涉及文化、没有价值判断的福音吗？这虽然理想，却不可能。传讲一定得使用文化用语，无人能够没有价值判断，也不应该总想逃避价值判断。但是宣教士不能想当然地或强制进行任何文化改革；除非对这个文化已经有了

深入的了解，否则没有宣导具体改变的依据。

然而，宣教士确实可以发挥极其重要的功用，借着深思熟虑与认真的态度向某个社会里的基督徒介绍不同的文化行为方式。把他们对历史知识，对其他地方的教会的了解，尤其是把神在圣经里的待人之道，清楚地告诉人们：除了他们文化中的行为方式，还有其他的行为方式存在。宣教士可以帮助当地人借着祷告、学习和尝试，找出他们文化中最能表达基督徒与神的关系的文化形式。

宣教士的基本责任是帮助当地的基督徒和教会成长。当他们越来越 "在恩典和知识中" 长进，就可以在现有的文化中依靠圣灵的带领，自己从神的道中领受，作出对自己的行为最可靠的决定。如此运用圣经中的鼓励、教导和指引，一个健康且日益增长的基督教群体将会应运而生。

因此，宣教士在文化变革中的角色是催化剂，是激发新理念和新资讯的源头。有经验之谈很好，但那只是经验，难免根源于自己的文化，所以要谨慎运用。当然，更好有人类学研究，以拥有不只一种文化处境的间接体验，宣教士就可以提供超越自己文化的选择。

宣教士最要下工夫的地方是教会。要让教会这由福音对象组成的群体，根据他们已经接受到的新理念作出决定。他们必须根据自己与神的关系，以及在基督耶稣里与同胞的关系，来诠释自己文化中固有的需要和价值表达。

**研习问题**

1. 本文建议宣教士在文化变革中担任什么角色？当地教会的角色呢？宣教士在所去的国家参与政治活动可以到什么程度？
2. 如何辨明文化变革的根本动机？

# 第83章　柳岸报告

洛桑世界福音委员会 (The Lausanne Committee for World Evangelization)

> 1978年一月，洛桑世界福音委员会在百慕达萨默塞特桥的柳岸，举办了一个主题为"福音与文化"的研讨会，约有三十三位神学家、人类学家、语言学家、宣教士和牧师出席，提出了《柳岸报告》(*Willowbank Report*)。该报告反映了十七篇会前传阅的论文之内容、摘要、会议期间对论文的反应，以及在全体会议上和小组讨论中所表达的观点。

§　§　§

## 一、文化的圣经基础

"既然人类是神所造的，人类的文化中就会富有美善的内容。然而，由于人类已经堕落，所有文化都被罪所玷污，部分文化甚至含有魔鬼的成分。"（洛桑信约〔Lausanne Covenant〕第十段）

神按照祂的样式创造了人类，创造了男人和女人，把理性、道德、社交、创造和属灵等独特的能力赋予他们。祂同时吩咐人要生养众多，遍满地面，管理全地（创1:26-28）。这些神圣的命令就是人类文化的起源。我们控制自然（即我们的环境），发展不同形式的社会组织，这些都是文化的基本行为。只要我们使用自己的创造力来顺服神的命令，就能荣耀神、服事人，实现我们生而在世的目的。

然而，现在我们是堕落的。所有的工作都伴随着流汗和挣扎（创3:17-19），并且被自私扭曲。所以，我们的文化没有一个具有完全的真善美。无论我们把文化的核心称为宗教或世界观，每个文化中都存在着自我中心和自我崇拜的成分。因此，除非文化在忠诚上作出根本性的改变，否则，它就无法顺服基督的主权。

尽管如此，我们仍然肯定人是按照神的形象受造的（创9:6；雅3:9），只不过这神圣的样式已经被罪扭曲，而神依然期望我们担负起管理全地和地上一切受造物的责任（创9:1-3, 7）。同时，神因着祂的普遍恩典，使所有人在工作中都善于创造、足智多谋和富有果效。因此，尽管创世记第三章记载了人类的堕落，第四章记载了该隐谋杀亚伯；但该隐的后裔仍被描述为文化的创新者，他们建造城市、饲养牲畜、制造乐器和金属工具（创4:17-22）。

在过去，我们福音派人士大多对文化采取过于消极的态度。现在，我们并没有忘记人类因为堕落和失丧而需要在基督里的救恩。然而，我们希望在本报告一开始就对人类尊严和人类文化的成就予以积极的肯定。综观人类发展的社会组织、艺术和科学、农业和技术，人类的创造力着实反映了他们造物主的能力。

## 二、文化的定义

文化一词很难定义。在最广泛的意义上讲，它是指人们一起做事情的固定方式。如果人们要共同生活与合作，就必须对许多事情作出协定，无论是口头的还是非口头的。不过，"文化"一语只用于大于单一（或扩展的家庭）的人群单位。

文化意味着一定程度的同质性。但是，如果人群单位大于氏族或小部落，那么一个文化在其内部将包括若干亚文化，并且亚文化中还包括亚亚文化，在这样的文化中，可能存在着许多不同的种类和多样性。如果差别超过某一极限，就会出现反主流文化，而这可能是一个具有破坏性的过程。

文化把不同时代的人联系在一起。文化从过去传承下来，但不是通过任何自然遗传的过程。每一代人都必须重新学习文化。文化的习得一般是通过从社会环境，

> 综观人类发展的社会组织、艺术和科学、农业和技术，人类的创造力着实反映了他们造物主的能力。

尤其是从家庭中吸收的过程。在许多社会里，文化的某些要素是在成年礼的仪式中，或通过许多其他专门教导的形式来直接传递的，人们一般都是潜意识地随从文化而行事。

这意味着，一个被接受了的文化涵盖了人们生活中的所有方面。

文化的中心是世界观，即人对宇宙的本质以及人在其中之位置的一般性认识。它可能是"宗教性的"（关于神、神明和灵，以及我们与祂们的关系）；或可能像马克思主义社会中人们对于实在性的"世俗"看法。

这个基本的世界观，产生出判断或价值观的标准（什么是可取的？根据公众的普遍意愿，什么是可以接纳的，什么是不可接纳的？），也得出行为的标准（关于个人之间、两性之间和辈分之间的关系，与社区内部和与社区外部之人的关系）。

文化与语言密切相关，通过谚语、神话、民间故事以及各种艺术形式表达出来，成为该群体成员思想的一部分。文化左右着社区中进行的各种活动，例如崇拜或公共福利、法律和执法、跳舞和游戏等社会活动，以及各式各样因共同目的而组建的俱乐部、社团和协会等小型活动单位。

文化从未保持静止，它总是处于不断变化的过程当中。但这个变化应该是在可接受的规范内渐进发生的，否则，文化就会被中断。对叛逆者最严重的惩罚莫过于将其从所属的文化社群中驱逐出去。

人类需要共同存在，参与文化带给他们归属感。它带给人们一种安全、认同和尊严的感觉，使人感到自己是一个更大整体中的一部分，既可以分享前辈的生活，又可以分享社会对其未来的盼望。

在旧约所关注的人民、土地和历史三个层面，我们可以发现圣经有关如何认识人类文化的线索。旧约中以色列人生活之经济、生态、社会和艺术形式、生产力和生产形式，他们的财富和幸福似乎都源于民族、领土以及历史（我们是谁、我们在哪里、我们来自何方）。这个模式为阐明文化提供了一个视角。

也许我们可以尝试把这些不同的意思浓缩如下：文化是一个综合的系统，包括信仰（神、实在性或终极意义），价值观（什么是正确的、良善的、美丽的和规范的），习俗（如何行事、与人相交、交谈、祈祷、衣着、工作、娱乐、经商、耕种、吃饭等等），以及表达这些信仰、价值观和习俗的机构（如政府、法院、寺庙、教会、家庭、学校、医院、工厂、商店、联盟、社团等等），这些把整个社会联结在一起，给予它一种认同感、尊严感、安全感和延续感。

## 三、圣经启示中的文化

在圣经中，神根据受众的文化来启示祂自己。因此我们需要思考，这对于我们今天的跨文化沟通有什么启发？

圣经的作者为了表达他们的信息，批判性地采用了文化中一切可以使用的材料。例如，旧约多次提到了名为"利维坦"的巴比伦海怪，而神与祂的子民"立约"的形式，与古代赫人苏美尔帝国宗主国与其诸侯所立的"条约"非常相似。尽管没有因此肯定哥白尼之前的宇宙论，但作者偶尔也使用"三层天"这种概念意象。我们谈论太阳"升起"和"落下"，与圣经作者的描写手法相当。

同样地，新约圣经的语言和思想形式饱含犹太文化和希腊文化，保罗似乎也使用了希腊哲学的用语。圣经作者从他们的文化背景中借用了词语和意象，并创造性地予以使用，但这一过程皆由圣灵掌控。因此，他们能把文化中一切虚假或邪恶的含意清除掉，而使其成为真理和美善的载体。这些不容置疑的事实引发了一些费解的问题。在此我们列举五个：

### 1. 圣经默示的本质

圣经作者使用自己文化中的词语和想法，是否与神圣的默示相矛盾呢？绝对不会。我们注意到圣经有不同的文学体裁，意味着不同形式的默示过程。例如，先知领受神的异象和话语而成的著作，与历史学家和书信作者的作品存在着巨大的差别，然而，他们都是受同一位圣灵的独特默示。神使用作者的知识、经验和文化背景，尽管祂的启示始终超越这些。在每种情况下，结果都是一样的，即神的话语通过人类的语言表达出来。

## 2. 形式与意义

每个沟通都有意义（我们想要说什么）和形式（我们如何说）。无论是圣经，还是其他书籍和表达方式，其中的形式和意义总是一体的。那么，如何将信息从一种语言翻译成另一种语言呢？

逐字形式的翻译（形式对应），可能会隐藏或扭曲原意。在这种情况下，更好的方法是在另一种语言中找到一个可以对受众产生同等影响的表达形式，与原文产生的影响相当。这可能需要改变形式，以保持原文的意义。这就是所谓的"动态对等"。

例如，修订标准版将罗马书第一章17节译作，在福音里，"神的义被显明出来，从信到信。"这是按照希腊原文逐字逐句的翻译，属于"形式对应"。它使希腊词语"义"和"从信到信"的意思变得模糊不清。现代英语版则将其译作："因为这福音启示上帝怎样使人跟祂有合宜的关系：是起于信，止于信。"这个翻译抛弃了希腊文与英文之间文字一一对应的原则，但更恰当地表达了原文的意思。尝试如此"动态对等"的翻译，可以极大地加深译者对圣经的理解，也使译文对译入语言的受众更有意义。

然而，圣经的某些形式（词语、形象、比喻）则应该保留，因为它们是在圣经中反覆出现的重要标志（如十字架、羔羊和杯）。在保留这些形式的同时，译者要尽力阐明其意义。例如，现代英文译本将马可福音第十四章36节译作："求祢把这苦杯移去。"形式（即"杯"的形象）保留了下来，但加上"苦"一字来阐明意思。

> **先知领受神的异象和话语而成的著作，与历史学家和书信作者的作品存在着巨大的差别，然而，他们都是受同一位圣灵的独特默示。**

新约圣经是用希腊文写成的，作者所使用的词语在世俗世界中已经有很长的历史，但他们赋予其基督教的含义，比如约翰称耶稣为"道"。这样的做法其实很危险，因为"道"在希腊文学和哲学中有很多不同的意思，非基督教含义无疑会与这个词紧密相连。故此，约翰把这个称号放置在教导性的语境中，肯定这道从太初就有，是与神同在的，祂就是神，万物是借着祂造的，祂是人的光和生命，并且这道成了人（约1:1-14）。同样，有一些印度基督徒也冒险借用印度教中用来描述所谓毗湿奴"化身"的梵语"阿凡达"（*avatar*，意指"下凡"），辅以谨慎的保护性解释，以之表达神在耶稣基督里独特的道成肉身。但另一些人则不能接受这种做法，认为任何保护措施都不足以避免误解。

## 3. 圣经的标准性

洛桑信约宣称，圣经"所宣告的毫无错误"（第二段）。这交给我们一个非常重大的解经任务，以准确地辨别什么是圣经所宣告的。圣经信息的基要意义无论如

何都必须保留。虽然为了跨文化沟通的缘故，可能需要改变表达意义的某些原始形式，但我们相信，这些形式也有一定的标准性，因为神亲自拣选它们作为完全合适的工具来传达祂的启示。所以，在每一个世代和每一个文化中，每个新的表达形式和解释都必须经过核对，看它是否忠实于原文。

## 4. 圣经的文化适应性

我们没有像原本预期的，有足够的时间来讨论文化对圣经的影响这个问题。我们一致同意，某些圣经命令涉及到当时的文化习俗（如妇女在公众场合蒙头、彼此洗脚）在当今世界的许多地方都已经废弃。

对于这样的经文，我们认为正确的回应是，既不能一味地盲目在照搬字面意思，也不能不负责任地置之不理，而是要先审慎地辨明经文的内在含义，然后译成合适我们本土文化的用语。例如，对于彼此洗脚的命令，它的内在含义是信徒必须通过谦卑的服事来表现彼此相爱。故此，在有些文化中，我们可以用互相为对方擦鞋来代替。我们清楚，如此"文化置换"的目的并非逃避顺服，而是使之切合时代和实际生活。

本次研讨会没有讨论关于妇女的地位这一具有争议性的问题。但我们承认，我们需要进一步寻求理解，以便能全面和公正地对待圣经的整体教导，厘清男人和女人之间的关系；因为他们既植根于创造的秩序，同时也因耶稣引入的新秩序而脱胎换骨。

## 5. 圣灵持续不断的工作

我们强调圣经是最终且永久的标准，这是否意味着我们认为圣灵现在已经停止作工了呢？绝对不是，不过圣灵教导工作的性质已经改变了。我们相信圣灵"默示"的工作已经完成，也就是说，圣经的正典已经完全了，但圣灵继续在每个罪人的归信（如林后4:6）以及基督徒和教会的生活中"光照"我们。因此，我们需要不断地祷告，祈求祂照明我们心中的眼睛，使我们知道神对我们的计划是何等的丰盛（弗1:17及其后经文），并且使我们不至于胆怯，而是能勇敢地作出决定，担负起今天的新任务。

我们已经注意到，个人和教会生活经历到圣灵将神的真理应用到其中的情形，远远没有达到当有的状态。在这一点上，我们都需要在谨慎的态度中学习更加敞开。

## 研习问题

1. 人们有时将创世记第一章26-28节的命令称为是神给人类的"文化使命"。今天这一使命的执行状况如何？
2. 根据以上对文化的定义，哪些是你文化中主要的独特成分？
3. 如果你懂得两种语言，请用其中一种语言造一个句子，然后尝试按照"动态对等"的方法将其译为另一种语言。
4. 举出其他"文化置换"的例子，它们既保留圣经经文的"内在意思"，又转化成适合你的文化的形式。

# 四、现今对神话语的理解

文化因素不仅存在于圣经中神的启示里，而且还包含于我们对圣经的解释中。现在让我们来讨论这个主题。所有的基督徒都渴望明白神的话，但于此却有不同的途径。

## 传统方法

最常见的方法是直接来研读圣经的话语，却忽视了作者与读者不同的文化环境。读者解释经文时，以为这些经文是用自己的语言，在自己的文化中和在自己的时代里写出来的。

我们承认很多经文可以用这种方式来阅读和理解，特别是经文的翻译水准较高时。神的旨意是让普通大众都可以明白祂的话语，而不是专供学者琢磨。救恩的基要真理浅显易懂，所有人都可以明白。圣经对于"教导真理，指责谬误，纠正过错，指示人生正路，都有益处"（提后3:16，现代中文译本），神还赐下圣灵作我们的老师。

然而，该"流行式"方法的弱点在于没有首先试图理解经文在其原来语境中的意思。因此，它可能错失神旨意的真正意思，而以另外的意思取而代之。

第二种方法则重视原文的历史和文化背景，寻找经文在其原初语言中的意思，以及与其他经文的关系。这一切都是解经的基本准则，因为神是在一个具体的背景和时代中，向一个具体的民族说话。所以，当我们对这些事情有深入的了解时，我们就更能明白神的信息。

不过，这种"历史性"方法有一个弱点，因为它没有考虑到圣经很可能是对当代读者所说的话。它让圣经的意思停格在圣经成书的时代和文化中。这样就可能出现"分析经文却不加以应用，学到学术知识却无顺服之心"的情况。解释者也往往可能会夸大自己的客观性，忽视自己的文化假定。

## 处境化的方法

第三种方法首先结合"流行式"和"历史性"这两种方法中的积极因素。它采纳了"历史性"方法中研究原初背景和原初语言的必要性，而从"流行式"方法中采纳了聆听神的话语和遵从它的必要性。但它远不止于此。它不但高度重视当代读者的文化背景和圣经的背景，并且认识到二者之间必须产生对话。

我们想要强调的是，经文和释经者之间需要产生这种积极的互动。今天的读者无法、也不应该试图在没有个人背景的情况下来研读圣经。相反地，在研读圣经的时候，他们应该意识到源于本文化背景、个人状况以及对他人负有的责任等各种重要的事。这些事会影响读者对圣经提出的问题。

然而，读者得到的不只答案，而是更多的问题。当我们对圣经提出问题时，圣经也向我们提出问题。结果，我们发现自己受文化影响的假定受到挑战，而我们的问题也得到纠正。事实上，我们不得不调整之前的问题，重新提出一些新的问题。如此，这种活泼的互动就得以持续进行下去。

在这种互动的过程中，我们对神的认识和对祂旨意的回应都不断加深。我们越

认识祂，我们就越有责任在自己的处境中顺服祂。我们越顺服地回应祂，祂就越让我们认识祂。

这种"处境化"的解经方法的目的和益处，在于使人在知识、爱心和顺服上不断长进。我们从神的话语最初赐下的背景中，听到神在我们当今的处境中对我们说话。这是一个使人改换一新的经历。这个过程仿佛一个不断上升的螺旋，圣经在其中始终保持中心和标准的地位。

## 学习的群体

我们希望强调，明白圣经不仅是个人的责任，更是整个基督徒群体的任务，当代的信徒和过去的信徒都属于这一群体。

现在本地或地区的教会在自己的文化中，有很多方法可以辨明神的旨意。基督仍然在祂的教会中设立牧师和教师。面对满怀期望的祷告，基督会向祂的子民说话，尤其借着崇拜中的讲道。此外，通过小组查经和咨询其他教会，神以"彼此教导，互相劝戒"（西3:16）来对我们说话。同时，安静地聆听神借着圣经的说话，也是信徒灵性生活必不可少的要素。

教会是一个历史性的团契，继承了过去基督教的神学、仪式和灵修等方面的丰富遗产。任何信徒群体若忽视这些遗产，就可能陷入属灵贫穷。同时，我们也不能不加鉴别地接受这些传统，无论它是以某个教派的特色，还是以其他任何的方式出现，我们对其所宣称的阐释都需要根据圣经进行检验。我们不能把它强加于任何教会，而是让那些能够用得上它的人，以其作为一个有价值的资料来源，以抗衡独行侠思想，并且作为与普世教会的连接。

因此，圣灵借着过去和现代诸多不同的教师来教导祂的子民，我们彼此需要。只有"和众圣徒一同"，我们才能够开始领悟到神的爱是多么长阔高深（弗3:18-19）。圣灵"在各种文化中光照属神的子民的心智，使他们透过自己的眼睛，重新得见其中的真理，从而使全教会更多地看到神诸般的智慧"（洛桑信约第二段，与弗3:10相对应）。

## 圣经的缄默

我们也考虑了圣经的缄默这个问题。也就是说，圣经对某些教义和伦理准则没有明确指示。圣经写于古犹太和希腊罗马世界，没有直接论及今天的诸多事情，例如印度教、佛教、伊斯兰教或是马克思主义的社会经济理论和现代科技等等。然而，我们相信，教会当在圣灵的指引下，查考圣经的先例和原则，从而明白主基督的心意，作出符合基督信仰的决定。当信徒群体同心合意敬拜神，并在世上积极顺服神的话语，这个决定的过程将会是卓有成效的。我们在此重申，基督徒的顺服既是明白真理的结果，也是明白真理的前提。

# 研习问题

1. 你能否举出"传统的读经方法"使你走偏的例子？

2. 选择一段众所周知的经文，比如马太福音第六章24-34节（忧虑与野心），或路加福音第十章25-38节（好撒玛利亚人），运用"处境化方法"来研读它。让你和该段经文之间产生对话，你向经文提出问题，也让经文对你提出问题。

记下这一互动的过程。

3. 讨论一些在当今的时代寻求圣灵引导的实际途径。

# 五、福音的内容与沟通

我们已经思考了神如何借着圣经把福音传给我们，现在，让我们来看关注的核心——我们向别人传讲福音的责任，也就是传道。但是在我们考虑传福音之前，我们必须先思考福音的内容，因为"布道就是将福音传扬出来……"（洛桑信约第四段）。没有福音当然就不可能传福音。

## 圣经与福音

福音就在圣经里。其实，在某种意义上，从创世记到启示录的圣经整体就是福音。圣经自始至终的首要目的就是为基督作见证，宣告祂是生命的赐予者、是主，并劝说人信靠祂（如约5:39-40，20:31；提后3:15）。

圣经以不同形式宣告福音的故事。这福音就像一颗多琢面的钻石，不同的琢面吸引着不同文化中的不同族群。我们无法探测它的深度，也不能把它归纳成为一个简明的公式。

## 福音的核心

然而，明白什么是福音的核心非常重要。我们确认福音的中心包括以下主题：神是创造者、罪的普遍性、耶稣基督是神的儿子及万有的主、耶稣借着自己代赎的死和复活的生命成为救主、悔改归信的必要性、圣灵的降临和祂改变的大能、教会的团契和使命以及基督再来的盼望。

尽管这些都是福音的基本要素，但需要补充的是，没有一个神学声明不受文化影响。因此，所有神学命题都必须接受圣经的评判，圣经高于一切的神学。神学理论的价值必须根据它们对圣经的忠实程度，以及它们把圣经的信息应用到自己文化中的适切性来判定。

在我们渴望有效地传扬福音的时候，我们常常意识到福音的部分要素不受人喜欢。例如"十字架的道理"，对骄傲的人始终是绊倒石，对聪明的人始终是愚笨的。但保罗并没有因为这个缘故而从他的信息中除去十字架的道理。相反地，他冒着受逼迫的危险，坚持忠心地宣扬它。保罗深信，基督被钉十字架是神的智慧，是神的能力，我们也当这样。我们虽然需要考虑将信息处境化，并且除掉不必要的绊脚石，但我们必须反对修改信息，去迎合人类的骄傲或偏见。神已将福音托付给我们，我们的责任不是去编辑它，而是去宣讲它。

## 沟通福音的文化障碍

如果基督工人忽略了文化的因素，他们不可能指望能够有效地传讲福音。这对宣教士来说尤为真实，因为他们本身是一个文化的产物，而面对的福音对象则是另一个文化的产物。因此，他们不可避免地要进行跨文化沟通，其中既充满令人兴奋的挑战，又有令人生畏的要求。他们主要面对以下两个问题。

有时候，人们抵制福音并非因为他们认为福音是虚假的，而是因为他们认为福音威胁到自己的文化，尤其是社会结构、民族或部落的团结性。在某种程度

上，这是不可避免的。耶稣基督是和平之君，但也会引起分裂。祂是主，要求我们对祂完全忠诚。因此，第一世纪的一些犹太人认为福音在破坏犹太教，并且控告保罗"到处教人反对人民，反对律法和这个地方（圣殿）"（徒21:28）。同样地，第一世纪的一些罗马人害怕国家的稳定遭到破坏，因为在他们看来，基督教的宣教士说"另外还有一个王耶稣"，就等于不忠于凯撒，就等于提倡不准罗马人实行的习俗（徒16:21，17:7）。至今，耶稣依然向各个文化和社会中许多珍爱的信仰和习俗提出挑战。

与此同时，每个文化中都有一些特征是与基督的主权不相冲突的，对于这类的特征，我们无需视之为威胁，或是予以摒除，而是要保留和转变。福音使者必须深入地了解当地文化，真诚地欣赏它们。只有这样，他们才能够觉察到人们对福音的抗拒，到底是出于信耶稣基督给他们带来的一些不可避免的挑战，还是因为一些文化上不必要的威胁，无论这些威胁是虚构还是真实的。

另外一个问题是福音经常以外来文化的形式出现。结果，宣教士受到当地人怨恨，传讲的信息也遭到当地人拒绝，因为后者认为前者的工作是试图把自己的习俗和生活方式强加给别人，而不是真正地传福音。每当宣教士带着外国人的思想和行为方式，或是种族优越感、家长作风，追求物质享受的态度进入工场，福音都不能有效地传递出去。

有时候，福音使者会同时犯这两个文化上的过错。他们被控施行文化帝国主义，一方面不必要地破坏了当地文化，

另一方面又试图强加给人们一种外来文化。随同拉丁美洲的天主教征服者或亚非的新教殖民者的宣教士，就是这双重错误的史例。与之相比，使徒保罗留下了美好的见证。他首先让耶稣基督除掉了自己文化传统中的骄傲（腓3:4-9），然后学习去适应其他族群的文化，使自己成为他们的奴仆，"对怎么样的人，我就作怎么样的人；无论如何，总要救一些人。"（林前9:19-23）

## 福音沟通过程中的文化敏感性

敏锐的跨文化工人不会带着一个福音的固定模式进入工场。他们必须清楚地掌握神"赐下"的福音真理。但是，如果他不考虑自己与目标族群的文化状况，而只是把福音强加给目标族群，那么他不可能有效地分享福音。宣教士需要积极友爱地与当地人交往，以他们的思维方式来考虑问题，了解他们的世界观，倾听他们的问题，感受他们的重担，只有这样，以宣教士作为一分子的整个信徒群体才能回应当地人的需要。外来宣教士和本地信徒透过一起祷告、思考和反省，依靠圣灵的带领，可以一起学习如何传扬基督，把福音处境化，使其既忠于圣经，又适切于当地文化。尽管有一些第三世界的文化本身便与圣经文化相近，我们知道这仍绝非易事。但我们相信，当愿意接受圣灵引导的信徒群体既聆听圣经的真理，又对这个世界的需要作出敏锐的回应时，新鲜和充满创意的认识必定会涌现。

## 伊斯兰世界中的基督工人

在研讨会中，有人表示我们对伊斯

兰世界中基督教宣教中的独特问题没有给予足够的重视。今天全世界的穆斯林约有六亿之众（编者注：2008年超过了十二亿）。一方面，伊斯兰教的信仰和宣教工作在许多地方复兴；另一方面，好些社区正在逐渐脱离传统伊斯兰文化，对福音有新的开放。

我们需要识别，伊斯兰教中有哪些显著的特点可以为福音提供独特的机会。尽管伊斯兰教中有些元素有悖于福音，但是也有一些元素在某种程度上是"可转换的"。例如，关于称义的问题，马丁路德大声疾呼："让神作神！"这一表达既反映基督教对神的认识，又可以用于伊斯兰教一个包容性的定义。伊斯兰教笃信神的一体性，强调人对神有正确敬拜的义务，而且绝对拒绝偶像崇拜，这些也可以视为神借着耶稣基督所启示出来对人类生活的旨意。当代的基督工人应该学会谦卑和充满期待地识别、欣赏和明白这些以及其他特点的价值。他们也当竭力寻求改变，尽可能整合所有适切于伊斯兰教的崇拜、祷告、禁食、艺术、建筑和书法等等。

只有当我们对伊斯兰教国家当前受科技发展和世俗化影响的现状，有符合现实的认识时，这一切才能进行。新富贵群体与传统贫穷群体两极分化的社会问题、政治独立的紧张局势、巴勒斯坦人流离和失望的悲剧，都为基督工人提供了作见证的合适机会。

针对最后一个问题，已经孕育了很多充满激情的诗歌，其中一个主题就是展现耶稣的受难。这些和其他的因素都要求基督徒对教会长期以来在中东的事工中所形成的内向习性，有新的基督化理解和真正

的认识。而在其他地方，尤其是在撒哈拉以南的非洲地区，教会的态度更为活跃，传福音的机会也更多。

为了能更好地完成宣教任务，我们必须要探索出一些新的途径，便于信徒与慕道友来往。如果需要的话，这些来往可以在传统的教会形式以外进行。基督徒个人和群体的门徒身分，以及基督之爱的激励始终都是他们热情地承担向穆斯林传福音之责任的关键。

## 期望收获

那些在自己的经历中证明"福音是神的大能"（罗1:16）的福音使者，很自然地期望别人也能有这样的经历。我们承

认，有时候就像耶稣时代那位外邦人百夫长的信心，使那些不信的以色列人羞愧一样（太8:10），当今不时也有其他文化的基督徒的信心期待突显了宣教士的信心软弱。因此，我们提醒自己，要牢记神的应许，他要通过亚伯拉罕的后裔使地上的万族得祝福，通过福音拯救那些相信的人（创12:1-4；林前1:21）。正是基于这些和其他许多的应许，我们提醒包括自己在内的所有福音使者，当仰望神来拯救世人和建立祂的教会。

同时，我们不要忘记主的警告，我们一定会遭到反对和遭受苦难。人心是刚硬的。即使传福音之人的品格和沟通方式都无可指责，人们仍然可能不接受福音。我们的主传道的时候非常熟悉自己所处的文化背景，然而祂和祂的信息还是遭人轻视和拒绝。祂那撒种的比喻似乎警告我们，撒下的好种子大多数不会结出果实来。这是一个我们无法测透的奥秘：圣灵随己意运行（参约3:8）。我们要竭力谨慎、忠心和火热地去传扬福音，与此同时，我们也要谦卑地把结果交托给神。

## 研习问题

1. 报告在上文中不赞成给福音下一个"简明的公式"，而是确认福音的"核心"。你认为可以给这些"中心主题"添加、删减或扩充些什么？

2. 请阐明"两个文化上的过错"。你能举出一些例子吗？如何才能避免这些过错？

3. 思想你希望为基督赢得的族群的文化状况。对于你的情况，"文化敏感性"有什么含意？

# 六、寻找谦卑的福音使者

我们相信，要想有说服力地分享福音，关键在于沟通者自身及其品格。毫无疑问，他们必须是有信心、爱心和过圣洁生活的人。也就是说，他们个人必须不断地经历到圣灵改变的大能，使耶稣基督的形象在他们的性格和态度上越来越明显地表现出来。

最重要的是，我们渴望在他们身上，尤其是在我们自己身上看到"基督的谦逊温柔"（林后10:1）。这是基督之爱的谦卑体贴。我们相信这一点极其重要，因此，我们在报告中将用整整一章的篇幅来讨论。此外，因为我们不希望把矛头指向任何人，而是针对自己，所以我们在全章都会使用第一人称复数。首先，我们要分析宣教士如何体现基督徒的谦卑；然后，我们转向道成肉身的耶稣基督，靠着祂的恩典，以祂为我们渴慕跟随的榜样。

## 浅析宣教士之谦卑

首先，我们要谦卑地承认文化所带来的问题，而不是逃避或将其简单化。如前所述，不同的文化极大地影响了圣经的启示、我们自己和目标族群。因此，我们分享福音时存在一些个人局限。我们有意识或无意识地受到了自己的文化禁锢，并且没有完全掌握圣经文化和福音对象的文化。这些文化之间的交互作用构成了沟通的困难，使得所有与之挣扎的人都必须谦卑下来。

第二，我们要存谦卑的心，努力去了解和欣赏目标族群的文化。正是这种渴望会自然而然地产生真正的对话，"因为要了解他们，我们就必须倾听他们。"（洛桑信约第四段）我们要为自己的无知而悔改。我们以为自己拥有一切问题的答案，唯一的角色就是去教导别人。我们有太多的东西需要学习了！我们也需要为着自己论断的态度而悔改。我们知道绝不应该谴责或轻视另外一个文化，而是应该尊重它。我们既不提倡傲慢地将我们的文化强加给别人，也反对将福音和与福音相违背的文化元素混合在一起的混合主义。我们要谦卑地分享好消息。只有通过真正友谊中的彼此尊重，这种分享才成为可能。

第三，我们要存谦卑的心，根据目标族群的实际情况，而不是以我们希望他们达到的状态为起点来沟通福音。这是我们从耶稣身上所看到的榜样，值得我们效法。太多时候，我们忽略了人们的恐惧、沮丧、痛苦、忧虑、饥饿、贫困、受剥削和压迫的情况，这些都是他们实际的"切身需要"。我们过于迟钝，没有与他们同悲或同喜。我们承认，这些"切身需要"有时可能反映了人们没有立即感受或认识到的更深层次的需要。医生未必接受病人的自我诊断。然而，我们认为需要从人们所处的实际情况开始，当然不要停留在那里。我们承认我们有责任，要温柔忍耐地引导他们，就像我们看到自己是叛逆神的人一样，让他们看到自己是叛逆神的人，需要听到福音直截了当表明的赦罪和盼望的信息。不从目标族群的实际情况出发，分享的信息只会与他们的需求风马牛不相及。当然，只停留于此，不带领他们进到神福音的丰盛中，等于只分享了残缺的福音。谦卑敏锐的爱心将使我们避免这两种错误。

第四，我们要谦卑地承认，即便是恩赐、心志和经验都绝佳的宣教士，若以别的语言或文化来分享福音，很少能够像受过培训的当地基督徒那样有效。最近几年，圣经公会认识到了这个事实，并因此改变了策略，从出版由宣教士（在当地人的帮助下）翻译的材料，转变为训练当地的母语专业人士来做翻译的工作。只有当地基督徒才能回答这些问题："神啊，若用我们的语言，祢会如何表达呢？"或者："神啊，在我们的文化中，顺服祢是什么意思呢？"因此，无论是翻译圣经还是传福音，当地基督徒都是不可或缺的。他们必须承担起责任，把福音处境化到自己的语言和文化当中。但是，我们不能因为这个缘故就认为跨文化的宣教士是多余的。只要我们真诚地谦卑，视沟通福音为团队事奉，视团队中的所有信徒为合作伙伴，我们就会得到欢迎。

第五，我们要谦逊地信靠圣灵，祂永远是最主要的沟通者，惟独祂能打开瞎子的眼睛，使人重生。"若没有圣灵的见证，我们的见证也就徒然。"（洛桑信约第十四段）

## 道成肉身是基督工人的榜样

我们的研讨会议刚好在耶诞节期间举行。神的儿子道成肉身，成为一个第一世纪加利利的犹太人，这可以称为人类历史上最伟大的文化认同范例。

我们深知，耶稣希望祂的子民在全世界的宣教中都效法祂的榜样。祂说："父怎样差遣了我，我也怎样差遣你们。"（约20:21，比较17:18）因此，我们自问道成肉身对我们所有人有什么含义？这个

> **我们在多大程度上感到属于目标族群，更确切地说，目标人群在多大程度上感到我们属于他们，是查验认同程度的试金石。**

问题对跨文化的工人来说尤其值得关注，无论前往哪个国家，都是如此。因此我们在会议上主要关注那些从西方国家到第三世界中服事的宣教士。

默想腓立比书第二章，我们看到基督的自我谦卑是从祂的心开始的："祂……不坚持自己与神平等的地位。"（v. 6）所以，我们奉命要以祂的心为心，存心谦卑，看别人比自己强，比自己更重要。基督的"心"或"看法"意味着承认人类无限的价值，并且认可服事他们是一种殊荣。那些有基督之心的工人极为尊重他们所服事的族群和文化。

接着，两个动词指出了基督的心意所带出的行动："（祂）倒空自己……自甘卑微……"（v. 7-8）第一个动词讲述了祂的牺牲（祂所舍去的），第二个动词讲述了祂的服事，甚至成为奴仆（祂如何与我们认同，并且任由我们处置）。我们努力思想这两个行动对基督意味着什么，对跨文化的见证又可能意味着什么。

我们先来看基督的舍去。首先，基督舍去了地位。"祂舍去荣华离天上"，这是我们在耶诞节时的颂赞。由于我们无法想像祂永恒的荣耀是什么样子，我们也难于领会祂倒空自己的伟大。但可以肯定的是，祂交出了作为神的儿子所享有的权利、殊荣和能力。在当今的世界中，"地位"和"地位的象征"很重要，但不适用在宣教士身上。我们相信，宣教士无论在哪里都不应该控制别人或独自作工，而要始终与当地基督徒同工，听取他们的建议，甚至接受他们的领导。无论宣教士的职责是什么，他们表达出的态度应当"不在于辖制人，而在于服事人"（洛桑信约第十一段）。

第二，基督舍去了独立性。我们看到耶稣向撒玛利亚的妇人要水喝，住在别人的家里，靠别人的奉献来生活，因为祂一无所有。祂借用别人的船、驴和楼房，甚至死了之后，也被埋葬在别人的坟墓里。同样地，跨文化的使者，特别是在服事的最初几年，需要学会依靠他人。

第三，基督舍去了豁免权。耶稣亲身面对诱惑、悲伤、限制、经济缺乏和痛苦。同样，宣教士应该预期自己会遇到新的试探、危险、疾病、异常的气候、不同寻常的孤独……甚至死亡。

"舍去"的主题我们先谈到这里，现在让我们来看"认同"的主题。我们再一次对救主如此完全地与我们认同而惊叹不已，希伯来书对此有特别的教导。祂取了我们的"血肉之体"，像我们一样受试探，借着所受的苦难学会了顺服，为我们尝了死味（来2:14-18，4:15，5:8）。在公开传道期间，耶稣与穷人和弱者为友、医治病人、喂饱饥饿的人、触摸不洁净的人、冒着遭人诋毁的危险，与那些被社会离弃的人为伍。

我们要在多大程度上与目标族群认同

是一个争论颇多的问题。当然认同必定包括掌握他们的语言、沉浸到他们的文化当中、学会以他们的方式来思考问题、感受他们所感受的，以及做他们所做的事情。

在社会经济的层面上，我们认为宣教士不应该"入乡随俗"，主要是因为外国人如此的尝试反而使人觉得虚伪，无异于作秀。但另一方面，我们也不赞同宣教士的生活方式与周围的人存在过于明显的差距。

在这两种极端之间，我们认为有可能采取某种水准的生活，既可以表达关怀和分享的爱心，又可以没有尴尬地在互惠的基础上彼此接待。我们在多大程度上感到属于目标族群，更确切地说，目标人群在多大程度上感到我们属于他们，是查验认同程度的试金石。在目标群体所属的国家或部落感恩与悲哀的日子，我们自然而然地参与其中吗？在他们遭受压迫的时候，我们与他们一同悲叹吗？在他们追求公义和自由的时候，我们和他们同道吗？如果这个国家遇到地震或陷入内战，我们的本能反应是留下来与我们所爱的族群同受苦难，还是打道回府呢？

不过，虽然耶稣与我们完全认同，但祂并没有丧失自己的身分。祂仍然是祂自己，"祂从天降临……并成为人"（尼西亚信经）；在成为我们当中一员的同时，祂仍然是神。同样，"传扬基督的人必须谦卑地倒空自己，但仍保持以他们的真诚去服事别人。"（洛桑信约第十段）耶稣道成肉身的真理教导我们，认同但不失身分。我们相信，真正的自我牺牲会带来真正的自我发现，谦卑的服事必定带来满足的喜乐。

## 研习问题

1. 如果沟通的关键在于沟通者，那么，他们应该成为什么样的人？
2. 请分析基督工人都当有的谦卑。你会注重那些方面呢？
3. 道成肉身涉及"舍去"和"认同"，显然耶稣付出了极大的代价。今天"道成肉身的布道"的代价是什么？

# 七、归信与文化

我们从两方面来思考归信与文化之间的关系。其一，归信对归信者的文化状况、思想与行为的方式，以及他们对社会环境的态度有什么影响？其二，我们的文化如何影响我们对归信的认识？这两个问题都很重要。但同时我们希望指出，在我们传统的福音派观点中，归信的因素更多是涉及到文化，而不是与圣经相关的，这需要重新审视。太多时候，我们以为归信是一个转折点，而忽视它也是一个过程；我们以为归信主要是个人的经历，而忘记了归信所带来的公共和社会责任。

## 归信的彻底性

我们深信，当代的教会需要重申归信耶稣基督的彻底性，因为我们总是面临淡化它的危险，满足于视之为表面的改变和自我改善。

然而，新约作者所讲的归信，是指被圣灵重生的外在表现，是一个新的创造，是从属灵死亡中的复活。复活的概念似乎特别重要。耶稣基督从死里复活，标明神新的创造的开始。靠着神的恩典，通过与基督的联合，我们都有分于祂的复活。因

此，我们已经进入了新的时代，尝到复活的能力和喜乐。这是基督徒归信的末世层面。在神已经开始的"大复兴"中，归信是不可缺少的一部分。当基督在荣耀中再来时，这个大复兴将会达到胜利的巅峰。

归信涉及到与过去彻底脱离关系，甚至可以用死亡这样的措辞来形容它。我们已经与基督同钉十字架，借着祂的十字架，就这个邪恶的世界及其人生观和标准而言，我们已经死了。我们"脱去"像污秽衣服的那个老亚当，就是我们从前堕落的人性。耶稣提醒我们，转离过去可能会有痛苦的牺牲，甚至会失去家庭和产业（如路14:25及其后经文）。

我们需要记住死亡和复活、脱去旧人和穿上新人这些归信的消极和积极方面。我们是死去但又活过来的人，现在我们活着是因为里面有一个新生命。我们是为基督而活，祂是我们的主。

## 耶稣基督的主权

我们很清楚，归信的基本涵义是忠诚对象的改变。以前，我们受其他的神和主，也就是我们所崇拜的偶像管辖，但现在认耶稣基督是主。归信者的生命指导原则是活在基督的主权之下，或者说是活在神的国度里（两者是同样的事情），祂对我们有完全的权柄。因此，这个新的和自由的忠诚必然会引起我们重新检视生活的每个方面，尤其是我们的世界观、行为和与他人的关系。

首先是我们的世界观。我们一致同意，每个文化的核心都是某种类型的"宗教"，甚至是一个无宗教信仰的宗教，就像马克思主义。荷兰神学家巴温克（J.

H. Bavinck）说："文化是宗教的可见形式。""宗教"是基本信念和价值观的整合，因此，为方便起见，我们使用"世界观"来作为等效的表达。真正归信基督必然会冲击我们文化传统的核心。耶稣基督坚决要把从前统治我们的一切偶像都从我们自我世界的中心除掉，亲自登上其中的宝座。这是忠诚的彻底改变，相当于归信，至少是归信的开始。一旦基督获得了祂应有的位置，其余的一切都要开始转变，冲击波从中心涌向周边，归信者必须再思自己的基本信念。这就是"悔改"，乃是心意的改变，以"基督的心意"来取代"属肉体的心意"。当然，建立一个完整的基督教世界观可能需要毕生的时间，但这一转变实质上从一开始就要产生。如果它持续增长，那爆炸性的结果将是无法预测的。

其次是我们的行为。耶稣的主权向我们的道德标准和整个伦理生活方式提出挑战。严格来说，这不是"悔改"，而是"悔改应有的果子"（参太3:8），是观点改变所带来的行为改变。我们的思想和意志都必须顺服基督（参林后10:5；太11:29-30；约13:13）。

当我们倾听归信的个案研究时，便会发现"爱"在新信徒经历中的显著作用，这使我们深受感动。归信既能使我们脱离过于专注自我、而不在乎别人的内向，又能使我们脱离认为无法帮助别人的宿命观。因此，如果归信没有释放我们自由地去爱别人，那归信就是虚假的。

第三是我们的关系。虽然归信者应该尽力避免与自己的国家、部落和家庭关系的破裂，但有时候这种痛苦的冲突还是难免。很明显，归信涉及到从一个群体转移到另一个群体，也就是从堕落的人性转换到属神的新人性。这种转换从五旬节的那天就开始了，彼得呼吁说："你们应当救自己脱离这弯曲的世代！"因此，那些领受彼得信息的人就受洗加入了这个新群体，将自己委身于这个新团契，发现主天天不断加增他们的人数（徒2:40-47）。同时，他们从一个群体"转移"到另一个群体，意味着在属灵上与其他人分别开来。这不是说他们在社会上与其他人隔离开来，他们不但没有放弃这个世界，相反地，他们还对旧世界有了新的委身，就是进入世界当中作见证，服事这个世界。

我们都应该珍惜这个伟大的期望，期待在我们的世代能有这种彻底的归信，使归信者有新的心意、生活方式、社区和使命，所有一切都伏在基督的主权之下。不过，现在我们觉得需要作出几点补充说明。

## 归信者与其文化

归信不应该使人"脱离自己的文化"。不错，正如我们已经看到的，主耶稣现在拥有这人的忠诚，其文化背景中的每一件事都必须接受主的审查，这一审查对任何文化都一视同仁，不只针对印度教、佛教、穆斯林或万物有灵论的那些文化，同样适用于日益物质化的西方文化。这样的审查可能会引起冲突，因为文化中的部分元素可能受到基督的审判而必须弃绝。这时候，归信者可能因为伤心困惑而试图采纳传道人的文化；对此，传道人应该温柔而坚定地拒绝。

相反地，传道人当鼓励归信者，把自己与过去的关系视为一种破裂与连续的结合。无论归信者有多么坚持为了基督的缘故而弃绝过往，他们还是同样的人，拥有同样的传统和家庭。"归信不是废除，而是再造。"当一个人归信基督时，其他人可能以为他背叛了自己的文化渊源。虽然在某些情况下这是不可避免的，但仍然是一个悲剧。尽管与自己的文化有冲突，若有可能，新归信者仍然应该尽力与自己文化中的喜乐、盼望、痛苦和挣扎认同。

过往的例子显明，归信者往往要经过三个阶段：（1）拒绝：此时他们认为自己是在基督里"新造的人"，因此否定一切与自己过去有关的事物；（2）迎合：此时他们发现自己的民族文化遗产，受到诱惑，想要因为遗产的缘故而把刚找到的基督教信仰降格；（3）身分重建：此时，他们要么更坚定地否定过去，要么更加迎合它，或是处于理想的状态，即在基督里和自己的文化中发展出一个平衡的自我意识。

## 权能较量

"耶稣是主"，不单指他是归信者个人世界观、各种标准和各种关系的主，甚至还不只是文化的主。他是一切权势的主，父神已经把他升为至高，赐给他掌管全宇宙的权柄；一切有权势的和有能力的都服从了他（彼前3:22）。许多与会者，尤其是那些来自亚洲、非洲和拉丁美洲的肢体，都指出邪恶力量的真实性，以及彰显耶稣拥有胜过邪恶的至高权柄的必要性。归信涉及到权能的较量，当人们看到耶稣的权能胜过魔法和巫术、巫医的咒诅和祝福、邪灵的恶毒，以及他的救恩确实

能把人们从邪恶和死亡的权势中释放出来时，他们就会拥戴基督。

当然，今天有一些人会有疑问，相信灵界的事物是否会与现代科学的宇宙观相冲突？为此我们想要申明，我们反对典型西方世界观所拥抱的机械论观点；我们相信这世上有恶魔的力量，它们使用各样或公开或隐蔽的方法，竭力贬损耶稣基督的名，拦阻人相信耶稣。我们认为，在任何文化中传福音，我们都要教导人们邪恶力量的真实性和敌对性，并宣告神已经高举基督为万主之主。哪怕我们没有意识到这一点，但基督确实拥有一切权柄，能够在我们宣称祂名的时候，打破所有思想中的任何世界观，使人承认祂的主权，并且给人们的内心和外在行为带来彻底改变。

我们一致强调，权能属乎基督。权能掌握在人的手中总是很危险的，我们想起保罗在写给哥林多教会的两封书信中不断重复的一个主题，就是神的大能在基督的十字架上清楚反映出来，同时借着人的软弱彰显（如林前 1:18-2:5；林后 4:7，12:9-10）。这个世界崇拜权能；拥有权能的基督徒明白它的危险。我们若是软弱最好，因为我们什么时候软弱，什么时候就刚强了。我们特别敬重最近的一些基督徒殉道者（如在东非），他们放弃了权力的途径，而选择了十字架的道路。

## 个人和群体的归信

我们不应认为归信都是个人性的经历，尽管多年来西方世界一直认为这是正确的模式。旧约中盟约的主旨和新约中全家的归主受洗，都应该激发我们渴望看到全家和整个群体信主，并且为此努力作工。近年来，从神学和社会学的角度上，人们已经对"群体归主浪潮"做了许多重要的研究。在神学上，我们承认圣经强调每个民族，即国家或族群的团结性。在社会学上，我们认识到每个社会都由许多亚群体、亚文化或同质性的单元组成。

显而易见，如果以一个适合人们的文化，而不是与其格格不入的方式传讲福音，并且让人们可以在自己的同胞中，与同胞一起回应福音，他们会更易于接受福音。不同的社会有不同的方式来作群体决定，例如共同研讨得出共识，或直接由家族的首领、长老团体决定。

我们不但承认群体中的每一位成员最终都必须与主建立个人关系，而且认识到群体影响力对于福音的传播，也是有效的。

## 归信是突发的还是渐进的？

归信往往比传统福音派的教导所认可的更慢，因为这边可能存在一个关于字义的争论。"称义"和"重生"，前者表达新的地位，后者表达新的生命，但两者都是神的工作，都是即时发生的，只是我们未必意识到它们发生的确切时刻。另一方面，归信是我们受神的恩典感动，在忏悔和信心中转向神的行动。尽管归信可能包括一个有意识的转折，但它往往是一个缓慢甚至艰苦的过程。从希伯来文和希腊文词汇的背景来看，归信的本质是转向神。随着生活中的各个领域都越来越彻底地降服在基督的主权之下，归信也在不断地深化。归信包括基督徒在心意和性格上的彻底改变和完全更新，以效法基督的样式（罗 12:1-2）。

然而，这个过程有时却没有发生。我们对两个令人痛心的现象进行了一些探讨，其中之一为"背道"（默默地离开基督），另一个为"背教"（公开地拒绝祂），导致这些情况的原因有多种。有一些人因为教会不再具有吸引力而转离基督，另一些人则是因为屈从于世俗主义或以前的文化压力而转离基督。这些事实挑战我们，一方面要宣讲全备的福音，另一方面要更加尽责地在信仰上培育归信者，装备他们，并参与到服事当中。

一位与会者描述了自己的经历：首先，归信是转向基督（接受祂的救恩和承认祂的主权），其次是转向文化（重新发现祂的自然来源和身分），第三是转向世界（接受基督托付给祂的使命）。我们一致认为，归信常常是一个复杂与多样的经历。在圣经中，"转向"这个词语有不同的使用方法，也用在不同的语境中。同时，我们一致强调个人对耶稣基督的委身是根本之道。唯有在基督里，我们才能找到救恩、新生命和个人身分。归信也必须带来新的态度和关系，使我们尽职尽责地参与到我们所在的教会、文化和世界当中。最后，归信是一个旅程，一个朝圣之旅，其间会不断遇到新的挑战和抉择。我们需要以主为不变的参考标准，在各个层面回转向神，直到祂再来。

## 研习问题

1. 请根据新约圣经，区分"重生"和"归信"的意思。
2. "耶稣是主"，这对你在自己的文化中意味着什么？为了基督的缘故，你感到自己文化传统中的哪些元素是你必须放弃的，哪些是无需放弃的？
3. 在基督徒的归信中，什么是突发的，什么是（或可能是）渐进的？

# 八、教会与文化

文化问题在福音分享与接受的过程中非常重要，在教会形成的过程亦然。如果福音必须处境化，那么教会也必须如此。实际上，本次研讨会的副标题就是"宣教中神的话语和教会的处境化"。

## 较老的传统方法

在十九世纪初期的宣教扩展时期，人们普遍认为，在"宣教工场"建立的教会应该模仿"家乡"母会的形式。这种倾向将产生几乎雷同的复制品，例如哥德式的建筑、祷告书中的礼仪、圣职人员的服饰、乐器、赞美诗和曲调、决策过程、总会和委员会、监督和执事长等等，一成不变、悉数输出引入宣教工场新建立的教会中。应该补充的是，当地的初信者也渴望采用这些模式，他们的决心一点儿也不逊于他们的西方朋友，因为他们一直在专心地观察宣教士的敬拜方式和习惯。但这一切都是基于错误的假设之上，以为圣经对这些事情都给予了具体的指示，而母会的治理、敬拜、事工和生活模式就是模范。

针对这种单一文化的输出体系，诸如十九世纪中期的亨利·魏恩（Henry Venn）和鲁弗斯·安德森（Rufus Anderson），以及二十世纪初的罗兰·艾伦（Roland Allen）等宣教思想先锋普及了"本色化"教会的概念，即教会要"自治、自养和自传"，他们充分论证了自己

的观点。他们指出，使徒保罗的策略是建立教会，而不是建立宣教站。他们还在圣经的论据之上添加了一些务实性的理由，即本色化是当地教会走向成熟并担负起宣教使命不可或缺的条件。魏恩满怀信心地期望，有一天，差会将把所有责任交给当地教会，然后他所说的"差会安然离去"的日子将会到来。这些观点得到了普遍的接纳，并且影响深远。

然而，这些观点在我们这个时代却遭到批评，不是因为本色化观念本身，而往往是由于实施本色化的方法。例如，一些差会接受了教会的领袖需要本色化的观点之后，就招募当地领袖，对其进行培训，但灌输的却是西方的思维方式和步骤（话虽刺耳，却是公正）。然后，这些西化的当地领袖仍然保留了西方模式的教会，洋教的取向仍然流传下来，只不过稍微披上本色化的外表而已。

因此，我们需要建立一个更加彻底的本色化教会生活，让每个教会作为基督的身体，都能在自己的文化中发现和表达自己。

## 动态对等模式

我们在前面已经讨论过，在翻译理论中，人们已经阐明了"形式"与"意义"、"形式对应"与"动态对等"之间的区别。有人提议，圣经翻译的理论也许可以类比应用到教会的形成上。"形式对应"指依样画葫芦，无论是把一句话翻译成另一种语言，还是把一个教会的模式输出到另一个文化中，都是依样模仿。然而，正如"动态对等"的翻译设法把那些传达给最初读者的意思，对等地传达给当

代的读者，"动态对等"的教会通过使用合宜的文化形式，也能达此功效。正如优秀的圣经翻译关注目标群体的语言，"动态对等"的教会则关注目标族群的文化。它将保持新约圣经论及教会的基本意义和功能，但是设法使用适合当地文化的对等方式来表达这些意义和功能。

我们一致发现这种模型很有帮助并具启发性。我们非常肯定它试图要表达的观点。它正确地排除了舶来品和复制品，以及僵化的组织结构，它正确地从新约圣经中寻找建立教会的原则，而不是借助于传统或文化。同时，它还正确地从当地文化中寻找合宜的形式来表达这些原则。我们全体（甚至包括那些认识到这个模式局限性的人）都认同这个模式试图描述的异象。

新约圣经指出，教会始终是一个敬拜的团体，"作圣洁的祭司，借着耶稣基督献上蒙神悦纳的灵祭。"（彼前2:5）但是，敬拜的形式（包括礼仪、典礼、音乐、色彩、戏剧等等）则由教会依照本土文化来发展。同样，教会始终是一个作见证和服事的群体，但布道的方法及其社会关怀的专案则各有不同。此外，神期望所有教会都有教牧监督，但是教会的治理和事工形式则可能完全千差万别，对牧者的选召、培训、按立、服事、服装、待遇和责任等，则根据圣经的原则和与当地文化相宜的形式来决定。

有人质疑"动态对等"的模式本身是否有足够的空间和动力来提供所需的全部引导。圣经翻译和教会的形成之间的类比并非完全一致。在前者，译者控制着工作，任务完成之后，他可以拿原文和译本

进行比较。然而，在后者中，对等所要寻找的原版并不是一个详尽的文本，只是初期教会一系列运作的缩影，这使得比较的工作更加困难。况且，在圣经翻译中，只有一个可以实施控制的译者，但是在教会的形成中，则需整个信徒群体参与。此外，译者追求个人的客观性，但本地教会则根本不可能客观地与当地文化建立合宜的关系。在很多情况下，它卷入了"两种文明的冲突之中"（它自己社会的文化和宣教士社会的文化）。再者，教会极难回应当地社区中相互冲突的诉求。有些人竭力要求改变（比如识字率、教育、技术、现代医学、工业化等方面），而另外一些人则坚持保留原来的文化，抵制新事物的发生。因此，有人会问，"动态对等"的模式真有足够的动力来面对这类的挑战吗？

对这个或其他任何模型，要检验其是否能帮助教会合宜地发展，就要看它是否能够帮助神的子民在他们的心意中捕捉到这个宏伟的计划，以当地教会的形式表达出来。每个模型仅提供部分的画面，本地教会最终仍需要仰赖主宰历史之永活神的动力。神引导祂每个时代的子民发展他们的教会生活，使他们既能遵守祂在圣经中所给予的指导，又能反映出当地文化中的优良元素。

## 教会的自由

任何一个教会如果能这样有创造性地发展，找到自己的位置，满有创意地表达自我，那么她就当有自由如此去行，这是她不可剥夺的权力。每个教会都是神的教会，与基督联合，是神借着圣灵居住的所

> 要检验其（模型）是否能帮助教会合宜地发展，就要看它是否能够帮助神的子民在他们的心意中捕捉到这个宏伟的计划，以当地教会的形式表达出来。

在（弗2:22）。某些差会和宣教士迟迟没有意识到这一点，也不接纳这个观点在教会本色化形式和各肢体事工上的应用。正因如此，独立教会应运而生，在非洲特别突出，这些独立教会根据当地文化来寻找表达自我的新方式。

尽管当地教会领袖有时候也会妨碍本色化的发展，但主要的过失还在别处。当然，概括性的结论总会有失公平，因为情况一直都是多样化的。在上几代人中，有些差会从来没有表现出支配的心态。在本世纪，很多教会如雨后春笋般涌现，她们从未受到过宣教士的控制，从一开始就享受自治的自由。在另外一些情形中，差会完全把昔日的权力交给了当地教会，所以，一些由差会建立起来的教会现在是完全自主的。此外，现在很多差会与当地教会是真诚地搭配同工。

然而，此景非全景。很多教会仍然几乎无法形成自己的身份和计划，她们受远方制定好的政策、外国传统的引入以及延续、外国人的领导、非本土的决策程序以及金钱的操纵等限制。那些采取这种管理方式的人，可能确实没有意识到当地教会

觉得他们像一个专制者。他们不是故意要这样做，也没有意识到这种情况，这个事实正好反映出我们所有人（无论我们知道与否）都受到了文化的影响，是文化把我们塑造成今天的样子。我们强烈反对这种"洋味"，无论在哪里存在，它对当地教会的成长和宣教都构成严重的阻碍，熄灭圣灵的感动。

几年前，因为反对外国人的控制继续延续下去，有人要求把所有的宣教士都撤回。在这次的会议讨论中，某些与会者希望避免使用"中止"（moratorium）一词，因为它已经变成一个带有强烈感情色彩的词语，有时候流露出一种对"宣教士"这个概念的怨恨。另外一些与会者则希望保留它，以便强调它所表达的真理。我们认为，"中止"的意思并不是拒绝宣教人员和外来的金钱本身，而是拒绝其谬用，因为他们扼制了当地教会的主动性。我们一致同意洛桑信约中的声明："有必要……减少外国宣教士及资金的数量，这有利于促进当地教会的自立……。"（第九段）

## 权力结构与宣教

我们刚才所讨论的问题，附属于一个更大的、不容忽视的层面。当代世界并不是由孤立的原子社会构成的，而是一个在经济、政治、技术和意识形态等宏观结构上相互关联的全球系统，这无疑导致了大量的剥削和压迫。

这和宣教有什么关系呢？为什么我们在这里提出这个问题呢？一方面，因为这就是今天传福音给万民的背景。另一方面，我们几乎所有的与会者，或是来自第三世界，或是现在或过去曾在那里生活和工作，或是曾经到访过其中的一些国家。因此，我们亲眼见过大众的贫困，我们与他们感同身受，明白他们的苦境部分是由目前的经济体系造成的，而这个体系主要是由北大西洋国家所控制的（尽管现在也涉及到其他一些国家）。我们当中来自北美或欧洲国家的公民，无可避免地会感到尴尬和耻辱，因为我们的国家在不同程度上参与了这种压迫。当然，我们知道今天在许多国家中都有压迫，无论出现在哪里，我们都反对。但是现在，我们谈论的是自己、我们的国家以及我们作为基督徒的责任。世界上大多数的宣教士和宣教基金都来自于这些国家，都是个人作出了极大牺牲的结果。然而，我们不得不承认，某些宣教士仍然带有新殖民主义的态度，甚至为之辩护，捍卫诸如非洲南部西方势力的据点和剥削。

那么我们当如何行呢？唯一诚实的回答是我们不知道。一切不切实际的空谈难免假冒为善的嫌疑。对于这个世界性的问题，我们并没有现成的解决方案。实际上，我们觉得自己也是这个体系的受害者，但我们也是它的一部分。故此，我们觉得只能作出以下几点评论：

首先，耶稣经常亲自靠近贫穷和弱势的人，并怜悯他们。我们要承担这样的责任，在这件事情上跟随祂的脚踪。至少让我们借着爱心的祷告和施予，来增强我们与他们的连结。

然而，耶稣不只是与他们认同，还将福音传给他们。在祂自己和使徒的教导中，将福音传给受压迫的人意味着对压迫者的审判（如路6:24-26；雅5:1-6）。

我们承认，在复杂的经济形势下，很难清楚界定压迫者的面貌，让我们在谴责时既不显得轻忽随便，又不空有豪言壮志却无从着力。但是，我们承认在某些时候，基督徒有责任奉主的名，大胆地反对不公正的事情，因为我们的主是公义和公正的，我们需要从祂那里得到勇气和智慧来行事。

第三，本次研讨会对第三世界中教会的混合主义表示了担忧。我们没有忘记，西方世界的教会也落入了同样的罪恶。其实，当今世界形式上最隐微的混合主义，莫过于把个人得饶恕的私有化福音，与对待财富和权力的世俗（甚至恶魔的）态度混杂在一起。在这个问题上，我们自己也不是无罪的。然而，我们渴望成为完全的基督徒，真正让耶稣作万有的主。所以，我们属于西方或者来自西方世界的人，要省察自己，力图除掉我们西方式的混合主义。我们一致同意："我们所宣告的救恩应当在个人生命和社会生活各方面都改变我们。信心没有行为就是死的。"（洛桑信约第五段）

## 地方主义的危险

我们已经强调了，要允许教会走本色化的道路，以"庆典、歌唱和跳舞"等各样自己的文化形式来表达福音。与此同时，我们希望对这种本色化过程中的危险保持警觉。全球六大洲中都存在这种情况，当人们发现自己当地文化的传统时，他们的反应不只是欢乐和感恩，而是夸耀和傲慢（沙文主义），或者将其绝对化（偶像崇拜）。然而，更为常见的情况并非这两种极端，而是"地方主义"。也

就是说，他们退缩到自己的文化当中，切断与其他教会和广大世界的联系，独来独往。这种立场在西方国家和第三世界的教会中都很常见，它背弃了创造和救赎的神。持这种立场的人，在宣告自己得自由的同时，却落进了另外一种捆绑之中。我们提醒人们注意三个主要原因，说明我们应该避免这种态度。

首先，每个教会都是普世教会的一部分，神的子民是一个依靠神的恩典、由来自各个种族、国家和文化的人所组成的群体。这个群体是神全新的创造，是属于祂的新族类，基督在其中已经废除了一切的阻隔（参弗二～三章）。因此，基督徒社会中不当有种族主义或是部落主义，无论它是非洲的形式，或是欧洲的社会阶级，还是印度的种姓制度。尽管教会有失败，但这个超越民族、彼此相爱之群体的异象并非一个浪漫的理想，而是主的命令。因此，在我们为自己的文化传统欣喜，并发展我们自己本色化形式的同时，我们必须谨记，作为基督徒，我们的主要身分并不是在我们特定的文化里，而是在同一位主里，在祂的同一个身体里（弗4:3-6）。

第二，每个教会都敬拜那位创造多种文化的永活神。如果我们为自己的文化传统感谢祂，我们也应该为别人的文化传统感谢祂。教会绝不应该深受文化的限制，以至于不欢迎其他文化的来访者。事实上，我们相信，基督徒如果有机会成为双文化、甚至多文化的人，他们的生命会更加丰富。正如使徒保罗，他既是希伯来人所生的希伯来人，又是希腊语言专家，同时还是罗马公民。

第三，每个教会都应该进入一种"给

予与接受的伙伴关系中"（参腓4:15）。没有一个教会是自给自足的，而且也不应该如此。因此，教会之间应该在祷告、团契、事工的交流和合作上，发展彼此的关系。倘若我们持守相同的基要真理（包括基督至高无上的主权、圣经的权威、归信的必要性、相信圣灵的能力，以及圣洁和见证的义务），我们就应该积极主动、大胆地追求团契关系，并且分享我们的属灵恩赐、事工、知识、技能、经验和经济资源，同样的原则也适用于文化上。一个教会应该有自由拒绝外来的文化形式而发展自己的文化；但她也应该有自由借鉴别人的形式，这才是成熟之道。

我们举一个关于神学的例子。跨文化的宣教士绝不能把一套现成的神学传统强加给所服事的教会，无论是透过个人的教导、文字资料，还是透过控制神学院和圣经学院的课程。每一个神学传统都包含一些可能不合乎圣经且容易引起教会分裂的要素，或者是忽略了某些要素，这些要素虽然在它们起源的国家可能并不重要，但是在其他环境中则可能非常重要。与此同时，虽然宣教士不当把自己的传统强加给别人，但也不应该拒绝别人接触他们的神学传统（书籍、信条、教理、礼仪和赞美诗），因为它无疑代表了一个丰富的信仰遗产。此外，尽管不应该把教会过去在神学上的争议带到现在新兴的教会中，但是，让年轻的教会理解这些问题，明白圣灵在基督教教义发展的历史中的工作，应该有助于保护她们，使其避免重复这些相同的争论，这些争论并不能够带来什么益处。

因此，我们应该留意，既要避免神学上的帝国主义，又要避免神学上的地方主义。教会应该由全体信徒根据圣经，结合其他过去和现在的神学，以及当地的文化和教会自己的需要，来建立自己的神学。

## 混合主义的危险

当教会寻求以当地的文化形式来表达她的生活时，她很快就得面对邪恶或者与邪恶有关联的文化元素。教会应该如何应对呢？那些本质上是虚假或邪恶的元素肯定不能吸纳进入基督教中，否则就会陷入混合主义。这对所有文化中的任何教会都是一个危险。但是，如果某个元素只是与邪恶有关联，我们认为可以尝试将其基督教化。救世军的创办人威廉·布斯（William Booth）参照了这样的原则。他给流行音乐配上基督教的歌词，质问为何要让魔鬼霸占所有最好的曲调。因此，许多非洲教会现在使用敲鼓的方式来召集会众敬拜神，这在以前是不可接受的，因为它们与战争舞蹈和通灵的仪式密切相关。

但是，这个原则也引起问题。为了与外来文化保持适当距离，教会有时候会不适当地采用当地文化中属魔鬼的元素。因此最重要的是，教会作为耶稣基督的仆人，必须学会根据神的主权和启示来审查所有的文化，不管该文化是外国的还是当地的。那么，教会在处境化的过程中当根据什么样的指导准则来接纳或是拒绝某个文化特征呢？她如何能够检测、防止并消除异端（错误的教导）及混合主义（把过去生活方式中有害的东西带进教会）呢？她如何能够保护自己不会沦为一个"民俗教会"，导致教会与社会没有根本上的区别呢？

我们研究了一个特别的模型，就是印尼巴厘岛的教会，那里的教会已经有四十年的历史了，她的经历为我们提供了下列指导准则：

信徒群体首先查考圣经，从而明白了许多重要的圣经真理。然后他们观察其他教会（如环地中海地区）如何使用建筑物来象征基督教真理。这对巴厘岛的居民来说很重要，因为他们是非常"视觉型"的族群，注重可见的象征标记。例如，他们决定采用巴厘岛三层屋顶的建筑风格来建造他们的教堂，以表达他们对三位一体之信仰的确信。这个象征标记首先送交长老团讨论，他们研究了圣经和文化的因素之后，就把它推荐给当地教会。

检测和消除异端也遵循类似的模式。当信徒怀疑生活或教导有错误时，他们首先向一个长老汇报，接到汇报的长老把报告带到长老团讨论。长老团经讨论之后就把提议转告给当地教会，让教会作出最后的决定。

什么是教会最重要的保障措施呢？回答是："我们相信耶稣基督是神，是一切权能的主"。借着宣讲祂"昨天、今天、一直到永远都是一样的"权能，借着始终坚持圣经的标准性，借着把反思圣经和文化的责任交托给长老，借着拆毁一切阻碍团契交流的障碍，借着在机构、教理问答、艺术形式和戏剧中融入耶稣基督的崇高地位来不断提醒人们，神的教会一直得以保守在真理和圣洁之中。

有时候，在世界不同的地方，某个被教会采纳的文化元素可能会使良心过分敏感的人不安，尤其是那些新归信的人。这是"软弱弟兄"的问题，保罗在谈论如何

> **教会作为耶稣基督的仆人，必须学会根据神的主权和启示来审查所有的文化，不管该文化是外国的还是当地的。**

处置祭过偶像之肉的问题时提到这些人。偶像算不得什么，保罗自己有良心的自由去吃这些肉。但为了"软弱"基督徒的缘故，保罗就节制自己不吃肉，尤其是在可能由此绊倒别人的情况下。这些基督徒的良心尚未受过良好的教导，若是看到保罗吃这些肉，就会跌倒；这原则在今天仍然适用。圣经重视良心，告诫我们不要违背它，良心需要受到教导才能变得"强壮"。当它还"软弱"的时候，它必须受到尊重。一个强壮的良心将会给我们自由，但爱会使人甘愿限制自己的自由。

## 教会对文化的影响

我们强烈反对悲观主义和失败主义。悲观主义导致一些基督徒反对积极参与世界上的文化活动，而失败主义则使别人相信，既然他们无论如何都不能在文化上做出什么好的贡献，那么就应该无所事事地等候基督再来把一切事物恢复正常。纵观历史，我们可以从不同时代和国家中举出许多例子，显明教会在神的眷顾下对主流文化发挥的巨大影响，为了基督的缘故而赢得、洁净和美化它。尽管所有这些尝试都有瑕疵，但并不表明整个努力是错

误的。

但是，我们更愿意把教会对文化的责任建立在圣经的基础上，而不是在历史上。我们提醒自己，我们的男女同胞都是按照神的形象被造的，神命令我们要在生活的每一个领域都尊重、爱护和服事他们。在这个基于神的创造的理由之外，我们补充了另外一个基于神的国度的理由，即神的国度借着耶稣基督已经临到了世界。所有权柄都属于基督了，他是教会的主，也是全宇宙的主。他差遣我们进入世界中作光作盐。他期望我们作为属于他的新族群，能积极渗入到社会中。

因此，我们要挑战邪恶，肯定美好。我们要欢迎并努力促进一切健康和有益的艺术、科学、技术、农业、工业、教育、社区发展和社会福利。我们要谴责不公，支持弱势者和受压迫的人。我们要广传耶稣基督的福音，因它是世界上最能使人得自由和最具人性化的力量。我们要积极参与出于爱心的善行。当然，一如社会和文化活动，我们要把传福音的结果交托给神，但我们深信他必会祝福我们的努力，使用它们在我们的社区中建立起一个新的意识，使人们认识到什么是"真实的、庄重的、公正的、纯洁的、可爱的、声誉好的"（腓4:8）。当然，教会不能把基督教的标准强加于一个不愿意接受它的社会，但可以借着论证和榜样把标准推荐给他们。这一切都将荣耀神，并使我们的同胞们，也就是神所造所爱的人类，有更多的机会来发挥自己的人性。正如洛桑信约所说："教会也必须致力于改造并且充实文化，这一切都是为了神的荣耀。"（第十段）

然而，天真的乐观主义与阴沉的悲观主义一样愚蠢。我们要在二者之外寻找一个冷静的基督教现实主义。一方面，耶稣基督作王；另一方面，他还没有完全摧毁邪恶的力量，它们仍然很猖狂。因此，每一个文化中的基督徒都发现自己处在冲突的境况中，并且常常遭受苦难。我们蒙召要与"管辖这幽暗世界的邪灵争战"（参弗6:12）。所以我们需要彼此帮助。我们必须穿戴上神所赐的全副军装，尤其要拿起信心的祷告这个大能的武器。同时，我们谨记基督和使徒的警告，末世之前将出现前所未有的不法和强暴之事。当代世界的一些事件和发展趋势表明，那即将要来的敌基督之灵已经在世上工作，不单在非基督徒的世界中，而且也在部分基督教化的社会里，甚至在教会中工作，*"因此我们拒绝人类的狂傲及自信的梦幻，以为人能在地上建立乌托邦。"*（洛桑信约第十五段）有人以为社会将进化到一个完美的境况，但这不过是一个毫无根据的幻想。

我们一边在地上竭力作工，一边满怀喜乐的盼望，期待基督的再来，等候新天新地的降临，有义居住在其中。因为到那时，列国都把他们的荣华带到耶路撒冷，不单文化要转化更新（启21:24-26），一切受造之物都将从现今的虚空、败坏和痛苦的奴役中得到释放，一同得着神儿女荣耀的自由（罗8:18-25）。最后，万膝都要向基督下拜，万口都要承认基督是主，使荣耀归给父神（腓2:9-11）。

## 研习问题

1. 你的当地教会是否有"自由"来建立自

我？如果没有，是受什么力量阻碍了呢？

2. 本文针对"权力结构"用语比较尖锐。你同意吗？如果同意，你可以为之做些什么吗？

3. "地方主义"和"混合主义"都是教会尝试以当地文化形式来表达自己的身分时所犯的错误。你的教会犯有这些错误吗？他们如何能够既避免这些错误，又不至于拒绝本土文化？

4. 你所在国家的教会是否应该更加努力去"改变和丰富"她的民族文化？若是，当从哪方面着手呢？

# 九、文化、基督徒伦理和生活方式

我们在前面讨论了与基督徒归信有关的一些文化因素，最后让我们来讨论基督徒道德行为与文化之间的关系，因为基督赐给祂子民的新生命必然会产生新的生活方式。

## 以基督为中心和有基督的样式

贯穿我们整个研讨会的一个主题就是耶稣基督至高无上的主权。祂是宇宙和教会的主，也是信徒个人的主。我们发现自己被基督的爱紧紧抓住，祂的慈爱四面环绕着我们，使我们无法逃避。借着祂为我们的死，我们可以享受新的生命，所以我们别无选择，也别无所求，只想为祂而活。祂替我们而死，又为我们从死里复活（林后5:14-15）。祂是我们首要的忠诚对象，我们要讨祂喜悦，过一个与祂的名相称的生活，并且顺服祂；这就要求我们放弃一切次要的忠诚。因此，神禁止我们随从这个世代的标准，也就是任何不能荣耀神的流行文化。我们要察验出神的旨意，更新我们的心意，改变我们的行为。

耶稣完全遵行神的旨意。所以，"对一个基督徒来说，最突出的不应该是他的文化，而应该是他有基督的样式。"正如第二世纪中叶的《致丢格那妥》（Letter to Diognetus）一信中所说："基督徒与其余的人的区别不在于国家、语言或习俗的不同……他们的衣着、饮食，日常生活的其他事情都跟随本地的习俗，然而，他们所展现出来的公民身分令人惊叹……总而言之，基督徒生活在世界上仿佛灵魂住在身体里。"

## 道德标准与文化习俗

文化从来不是一成不变的，在不同的地方、不同的时代，文化皆各不相同。纵观教会在不同国家中的悠久历史，基督教或多或少地摧毁或保护了文化，最终创建出一个新的文化来取代旧有的文化。因此，各地的基督徒都需要认真思考，他们在基督里的新生命应该与当代文化保持怎么样的关系？

本次研讨会的预备论文中提出了两个非常类似的模型。第一个模型提议对几种不同类别的习俗加以区分。第一类包括那些完全违背基督教福音，归信者需要立即摒弃的习俗（如偶像崇拜、蓄奴、巫术、法术、食人、族仇、庙妓，以及所有基于种族、肤色、阶级或种姓的个人歧视）；第二类包括那些成为惯例的习俗，此类习俗虽然可以暂时容忍，但希望它能逐渐消失（如种姓制度、奴隶制和一夫多

妻制）；第三类是关于婚姻传统的习俗，尤其是近亲结婚的问题。各个教会对此持不同观点；第四类包括那些"无关紧要的事项"，这些事项是与道德无关的习俗，因此，可以不做任何修改就保留下来（如饮食和沐浴的习俗、对异性公开问候的方式、发型以及衣着的风格等）。

第二个模型区分了基督和文化之间"直接"和"间接"的对抗，大致对应于前一个模型中第一和第二类别的习俗。该模型应用于十九世纪斐济群岛的案例研究中。我们认为，一些残忍的习俗，如食人、勒死寡妇、杀婴和弑父，都是与基督"直接对抗"的，归信者应该在归信之后立即摒弃。然而，有些习俗的道德问题并不是那么明确（如一些婚俗、成年礼、节日，以及歌曲、舞蹈和乐器的音乐庆典等等），或是当归信者开始把新信仰实际应用到基督徒生活中时才显出的对抗，这种是"间接对抗"。其中的一些习俗不必丢弃，而是需要净化其不洁净的元素，并赋予其基督教的意义。旧有的习俗可以被赋予新的象征意义，古老的舞蹈可以用于庆祝新的祝福，传统的工艺可以服务于新的用途。借用旧约圣经的话说：把刀剑打成犁头，把矛枪打成镰刀。

洛桑信约这样说："福音并没有预先假定，某种文化比其他文化更优越，而是根据福音的真理和公义原则来评估一切的文化，且在各种文化中坚持道德的绝对性。"（第十段）我们赞同这个说法，并且强调，即使是在当前这个相对主义盛行的时代里，道德的绝对性仍然存在。事实上，研读圣经的教会应该不难辨别哪些习俗属于第一类别，或"直接对抗"的类别。在圣灵的引导下，圣经的原则也会引导她们辨别出哪些习俗属于"间接对抗"的类别。另外一个检验标准就是看其是提升还是贬低人的生命。

可以看出，我们的研究主要关注某些处境，新兴教会必须在其中坚持道德立场，反对罪恶。但是事实提醒我们，教会也需要抵制西方文化中的罪恶。二十世纪的西方社会里存在着各式各样的罪恶现象，其表现形式更具欺骗性，其可怕程度，并不亚于我们所反对的十九世纪斐济的罪恶事例。

"吞吃"穷人的社会不公无异于食人、压迫妇女无异于勒死寡妇、堕胎无异于杀婴、对老年人可耻的忽略无异于弑父、性混乱无异于庙妓、第一次和第二次世界大战比部落战争有过之而无不及。当我们思考这些对应性的时候，一方面，名义上的基督教国家的罪恶更显其多，另一方面，我们一定不能忘记那些勇敢地反对这些罪恶的基督徒。在减轻这些罪恶的发生上，他们赢得了巨大（尽管不完全）的成功。罪恶有许多种形式，而且普遍存在，但无论它在哪里出现，基督徒都必须对抗和拒绝它。

## 文化改变的过程

只有信徒个人放弃他们文化中的罪恶是不够的，整个教会都需要致力于消除这些罪恶。因此，探究文化如何在福音的影响下发生改变非常重要。当然，罪恶与魔鬼已经深深盘踞于大多数文化之中，然而，圣经要求整个国家都要悔改和改革。事实上，历史上不乏文化改良的先例，有些文化并没有像想像的那样强烈地抗拒需要作出的改变。不过，谋求改革需要非常谨慎。

首先，"只有当人们想改变的时候，改变才会成真"，这似乎成了格言。此外，只有改变会带给人好处的时候，他们才会想要改变。基督徒无论是在发展中国家中提倡识字的好处、干净水的重要性，还是在西方国家中提倡稳定的婚姻和家庭生活的重要性，都需要认真论证和耐心证明这些变革的好处。

第二，在第三世界中的跨文化工人需要非常尊重社会变革的常规内在机理，特别是某个文化中"革新的正确步骤"。

第三，几乎所有习俗在文化里都发挥着重要的功用，甚至一些不良的社会习俗也可能发挥"建设性的"作用。因此，对每一个习俗，只有首先辨别其功用，并且

以另一个功能相同的习俗取而代之以后，我们才能废除这个习俗。例如，废除与青少年割礼相关的某些成年礼仪式，及其附带的某些性教育形式本来没有错，但这不能否认成年礼仪式中所包含的诸多价值。在成年礼中，基督徒要格外谨慎地确认哪些是违背基督徒的良心而希望废除的仪式和形式，并且找到适合的仪式和形式来代替它们。

第四，我们必须认识到某些文化习俗有其神学基础。在这种情况下，只有神学观点改变了，文化习俗才会改变。例如，寡妇殉夫是为让死去的丈夫不至于无人陪伴地进入来世；上年纪但还健康的人被处死，是为了让他们在另一个世界里有强壮的身体可以去战斗和打猎。这样的杀人习俗来自错误的末世观。因此，只有以基督

徒的盼望来替代原有的末世观，这些习俗才会被人摒弃。

## 研习问题

1. 是否在每个文化中都能认出"基督的样式"？它有哪些要素？

2. 在你自己的文化中，你希望一个新归信者立即弃绝什么？

3. 列出你所在国家中，有哪些"成为惯例的习俗"（如一夫多妻制、种姓制度、随意离婚，或是某些形式压迫）是你作为基督徒希望"逐渐消失的"？基督徒应该采取什么积极的步骤来改变这些状况？

## 总结

这次研讨会让我们更加深信文化识读的重要性。圣经的成书和阅读、福音的沟通、归信、教会和信徒的行为都受文化的影响。因此，教会把福音本色化，以便能够在自己的文化中有效地传播至关重要。对于福音化的重任，我们迫切地需要圣灵作工。祂是真理的灵，能够教导每个教会如何对待自己所处的文化。祂也是爱的灵，而爱是"每个文化中的人都能明白的语言"。所以，甚愿神以祂的灵充满我们！如此，我们就可以在爱中说诚实话，在各方面长进，达到元首基督的身量，成为神永恒的荣耀（弗4:15）。

§　　§　　§

注：本报告没有注明出处的引文均摘自呈交给本次研讨会的各篇论文。

信徒神学丛书23

# 宣教心视野第三册：文化视野

编 著 者：温德（Ralph D. Winter）、贺思德（Steven C. Hawthorne）
编 译：宣教心视野研习课程中文编译团队
总 编 辑：金玉梅
责任编辑：陈郁文
校 对：林碧芬
出 版 者：橄榄出版有限公司
　　　　　新北市中和区连城路236号3楼
　　　　　电话：(02)8228-1318　　传真：(02)2221-9445
　　　　　网址：http://blog.yam.com/cclmolive

発 行 人：李正一
发 行：华宣出版有限公司 CCLM Publishing Group Ltd.
　　　　　新北市中和区连城路236号3楼
　　　　　电话：(02)8228-1318　　邮政划拨：19907176号
　　　　　传真：(02)2221-9445　　网址：www.cclm.org.tw
香港地区：橄榄（香港）有限公司　Olive Publishing（HK）Ltd.
总 代 理　中国香港荃湾横窝仔街 2-8 号永桂第三工业大厦 5 楼 B 座
　　　　　Tel: (852)2394-2261　　Fax: (852)2394-2088　网址：www.ccbdhk.com
新加坡区：锡安书房 Xi-An Bookstore
经 销 商　212, Hougang Street 21 #01-339, Singapore 530212
　　　　　Tel: (65)62834357　Fax: (65)64874017　E-mail: gtdist@singnet.com.sg
　　　　　Tel: 6343-0151　Fax: 6343-0137　Website: www.edenresource.com.sg
北美地区：北美基督教图书批发中心 Chinese Christian Books Wholesale
经 销 商　603 N. New Ave #A Monterey Park, CA 91755 USA
　　　　　Tel: (626)571-6769　　Fax: (626)571-1362　Website: www.ccbookstore.com
加拿大区：神的邮差国际文宣批发协会 Deliverer Is Coming International Publishing
经 销 商　B109-15310 103A Ave. Surrey BC Canada V3R 7A2
　　　　　Tel: (604)588-0306　　Fax: (604)588-0307
澳洲地区：佳音书楼 Good News Book House
经 销 商　1027, Whitehorse Road, Box Hill, VIC3128, Australia
　　　　　Tel: (613)9899-3207　　Fax: (613)9898-8749　E-mail: goodnewsbooks@gmail.com

美术设计：戴芯榆
承 印 者：橄榄印务部
行政院新闻局登记证局版台业字第2600号
出版时间：2017年1月初版1刷
年　　份：21　20　19　18　17
刷　　次：05　04　03　02　01　　　　　　　　　　著作权所有、翻印必究

国家图书馆出版品预行编目资料

宣教心视野. 第三册，文化视野 / 温德 (Ralph D. Winter),
贺思德 (Steven C. Hawthorne) 编著；宣教心视野研习课程中文
编译团队译. -- 初版. -- 新北市：橄榄出版：
华宣发行, 2017.01
　　　面；　公分. -- ( 信徒神学丛书；23)
　　译自：Perspectives on the world Christian movement
　　ISBN 978-957-556-832-0 ( 平装 )

　　1. 教牧学

245.6　　　　　　　　　　　　　　　　　　104012110